封面題字：孫毓芹先生

國際標準書號：ISBN 957-9480-43-5

中國佛教發展史略述

南懷瑾先生著

丁卯1987(76)年12月臺灣初版・戊辰1988(77)年6月臺灣再版
辛未1991(80)年5月臺灣三版・壬申1992(81)年2月臺灣四版
癸酉1993(82)年2月臺灣五版・甲戌1994(83)年4月臺灣二次印刷
乙亥1995(84)年4月臺灣三次印刷・局版臺業字第一五九五號

發行人：南懷瑾
出版者：老古文化事業股份有限公司
地址：臺北市信義路三段二十一號二樓
電話：七〇三五五九二・七〇九六三三〇
郵撥帳號：〇一五九四二六－一　FAX: 02-7078217
香港出版者：經世學庫發展有限公司
地址：香港中環都爹利街八號鑽石會大厦十樓
電話：八四五五五五五　傳眞：五二五一二〇一

定價：新臺幣二〇〇元整
港幣　元整

南懷瑾先生著

中國佛教發展史略述

老古文化事業公司

◎目錄◎

第三章　中國佛教的傳播

附錄　禪宗叢林制度與中國社會

引言

中國佛教發展史略述，顧名思義，當然偏重於一般報導性質，現在把它分列為五章來敘述，具體的篇章節目，另如目錄所具。我的意思，認為要了解佛教的起源，必須要對釋迦牟尼以前印度傳統的文化，有一簡單的認識。猶如佛教所說：「法不孤起」，任何一個聖人教主，他的學術思想的產生，必然有它的前因後果，決不會憑空而來的，所以首先要述說印度的宗教哲學思想。第二，對於教主釋迦牟尼佛的生平，盡量從比較客觀的觀點，作學術性的介紹。因為宗教氣味太濃，有時會使人熏得頭昏腦脹，大有吃不消之感。第三，凡關於佛教的傳播，和現代世界佛教活動的情形，大概有兩個要點：㈠就地區而言，偏重在亞洲方面，而亞洲方面尤其又偏重在自由民主陣線的各國佛教。其餘因為臨時缺乏可靠資料，恕未詳細道及。㈡就人事和時間而言，祇寫到民國三十八年（一九四九年）的前後，目前的情況，都已如所周知，而且也未到定論的階段。總之，人世間難以逆料者是事，善於變化者是人，所以對於目前的人事，祇有留待他日歷史的定評了。

第一章

佛教與印度固有文化的關係

第一節　印度文化的發展

一、印度文化的背景

任何一個宗教的成長，必然有它文化的背景。今日世界，說到具有悠久的歷史和傳統的文化，如所公認，祇有東方的中國、印度，和西方的埃及、希臘；所謂世界的四大文明古國。希臘的光榮史，已成過去，但其文化遺存影響所及，却交融流佈而形成了現在的歐美文化。埃及文化，已如冥鴻霧豹，祇存吉光片羽。印度文化，尤其是震鑠天地，照耀古今的佛教文化，後歷漢季而宋世，已經全盤融會於中國文化的領域中了。希臘文化代表西方，初由宗教而展開爲哲學（philosophy），再由哲學而衍化爲科學（science），它帶給西方文化的現代文明，可謂枝繁葉茂。今日世界人類，如要研究各大宗教文化的起源，很顯然的，歸根結柢，都肇跡於東方。尤其佛教文化，早已與中國文化結緣而爲一體，其影響的普遍，自不待言。但印度文化中，忽然產生佛教，而傳入中國後，又形成了光芒四射的巨流，追溯其來源和尋求其背景，必然有它的前因後果。所以要了解佛教文化的誕生，和其前期文化的孕育，對於印度傳統文化，先須有一簡單認識。

人生於天地之間，無可避免的天然氣候，和地理環境兩者，是形成一個民族文化的重要因素。印度位居南亞半島，地理氣候，有南北東西及中央地區的明顯差別。南印接近熱帶，北印靠近喜馬拉雅山，氣候稍冷，中印度爲溫帶氣候。古代印度人的年節，爲適應氣候，一年祇分三季，每季四個月。因地近溫、熱帶，人們的身心動態，大率思想多於行動，尤其接近南印度地帶的，更富於神奇的幻想。自古至今，他們的文化和語言，一直沒有統一，古代印度所有的文字，約有五十以外至六十四種之多，我們以前籠統叫它梵文，其實梵文只是所有印度文中的一種。現在印度通行的語文，也還有幾十種。中國因爲有了秦、漢以來的大統一，所以能夠做到「車同軌，書同文」。而印度却不然，雖其自古至今都號稱爲一國，其實，還是部族分領，各據一方，它的文化，並未眞正統一。當我國周秦之際，它也像我們的春秋列國，據地稱王者，約有二、三百個小邦。當時學派林立，思想學說，各自言之成理，統率一方的，約有百家之多。人文生活，有一特點，就是階級區分，非常嚴格，因此貴賤異等，苦樂懸殊，雖在二十世紀自由平等的新思潮衝擊下，其觀念的深固，可謂自古已然，如今不改。

印度人的四種種姓制度，形成傳統的四種階級：

(1)婆羅門：爲世襲而職司祭祀的專業僧侶，是宗教文化教育的中心，位居上品，受人尊敬，爲精神及思想領導的高階層。舉凡軍國政治，也都爲其所左右。

(2)刹帝利：卽王侯武士，集軍政權於一族，爲世襲的統治者。

(3)吠舍：爲擁有財貨的商賈階級。

(4)首陀羅：爲從事耕種的農民階級。

此外，還有世奴賤民，操屠殺等賤業，地位卑下，生活艱苦。

上述古印度的四種姓及階級制度，一直牢不可破，經過三千多年以來，其觀念的殘存，還未完全泯滅。

復次因爲婆羅門階級掌握文化教育，依據四吠陀典而崇尚「神人」「神我」的思想，形成印度歷史文化中心的「婆羅門教」，漸次普及影響到印度人三種姓，卽婆羅門，刹帝利，吠舍等三階層的思想意識，始終傾向於出世的沙門（修道人）生活。他們理想的人生歷程，概分四個時期：

(1)淨行時期：卽少年時代的教育生活時期。他們到達一定年齡（婆羅門的弟子，從八歲到十六歲之間。刹帝利的弟子，從十一歲到二十歲之間。吠舍的弟子，從十二歲到二十四歲之間。）便出家就學，學習吠陀等學問，經過規定年限，例有十二年、二十四年、三十六年、或四十八年等。期滿學業成就，便可回家還俗。

⑵家居時期：也就是壯年的生活時期，可以結婚生子，負擔家庭生活，善盡一家之主的責任。

⑶林棲時期：即是中年的棲隱山林，潛心修道的生活時期。因在壯年時代，已經完成人生家居的義務，從此深隱高蹈，勤修苦行，學習各種禪定思維的方法，以求「神我」的昇華。

⑷遁世時期：由中年的修行，進入衰老的歲月，修行生活，經告一段落，身心絕對淨化，道果業已圓成，從此便遁跡山林，脫屣塵境，再不參預世事了。

這種理想的人生，除了婆羅門本身的倡導和享受以外，其餘剎帝利和吠舍兩階級，也可效法。到賤民階級的首陀羅，却永遠無法分享，這種宗教生活，根本就被禁止。因此，有了剎帝利的反感，逐漸不滿婆羅門所領導的思想舊規，他們脫穎而出，對於宗教、哲學、文化、教育等等，都有新思潮的鼓盪。從而尋究眞理世界的眞諦，研求「神我」靈魂的究竟，乃至探究宇宙萬象的根源，所以才有印度文化中奧義書的出現，以與婆羅門的傳統精神，互相抗衡。但婆羅門的地位依然屹立不動，婆羅門的思想，仍是深入難變。

以上簡介，可以了解古代印度人的思想淵源和文化背景；由於(1)地理環境和天然氣候的殊異，喜歡醉心思惟，騁志高遠。(2)早已有了根深蒂固的婆羅門教和普及的宗教思想。(3)有史以來，便傾向於出世思想，以求淨化身心，並以林棲遁世爲人生最大的享受。(4)思想高遠偏向虛幻，由「神我」而回到平實的人生，中間缺乏人本主義的思想體系，致使階級劃分綦嚴，貴賤等位懸殊，連宗教的信仰，都不能得到平等自由。因此有了釋迦牟尼的應運而興，他以慈悲宏願，創立佛教，截長補短，存優去劣，應化衆生的美善精神，綜理百代的文化傳統，破除人間的階級觀念，指示人性的昇華成就。

二、印度上古文化的宗教哲學

印度文化，從西曆紀元前大約二千年，到西元後大約一千年間，綿亙三千年之久，它以特殊的思想形態和豐富的思想內容，在世界文化史上，確實佔有極端重要的崇高地位。

上古時期的文化思想：

1.吠陀典：通稱吠陀文化，也就是婆羅門教的文化中心時期。他們之傳播教育，確定民族文化意識，完全依據吠陀經典做爲中心思想。所謂吠陀典，也有韋陀、毘陀等等多種譯名。其中文義解，則相當於「智論」或「明論」。換言之，即求了知宇宙人生的智慧。它包括了三部大典：

①讚頌（曼怛羅 Mantra or Sāmhitā 本集。）

②淨行書（婆羅哈摩拏 Brahmana 婆羅門書、梵書、神學書。）
③奧義（優婆尼沙陀、優婆尼沙曇 Upantsad 秘密書哲學書。）

關於讚頌方面，有四種本集，也叫做四吠陀：

①理具吠陀（Rig-Veda）讚誦
②夜珠吠陀（Yajur-Veda）祭祀
③三摩吠陀（Sāma-Veda）歌詠
④阿他婆吠陀（Atharva-Veda）祈禳

吠陀的讚頌明論：爲印度宗教哲學的濫觴，它由宗奉多數神祇，崇拜天地日月風雲雷雨，以及山川庶物等自然萬象，作爲歌詠來讚頌，可以說是原始文化的汎神主義。它的宗教哲學意義，不說地獄，不說過去，也沒有因果報應的觀念。認爲人類的靈魂不滅，軀殼死後，靈魂依舊回到夜摩天（yamam vaiv asvatam）去。凡是祭祀神祇禳災祈福等事，都用吠陀讚頌來歌詠它，就可得到感應。相似中國上古文化的巫祝之類，也與世界人類任何民族原始的宗教意識相同。

漸次爲了滿足形而上的要求，由此而生起原人的論說。原人就是造化一切的主神，他是至高無上的一尊，他是宇宙人類的原始者，宇宙萬物的形形色色，也就是原人的分化。這些也與世界人類任何民族原始的宗教意識，並無二致。

2.淨行書：時代漸次進步，吠陀的哲學理論，不能盡合人們的要求，於是才有淨行書的興起，促使婆羅門階級而形成鞏固的婆羅門教。淨行書的要義，大部份仍然承受讚頌明論的祭祀歌詠，祈福禳災的方式。在他的宗教哲學方面，對於吠陀哲學中造化一切主神的原人論，加以蛻變，崇奉一個造物主宰的神，他是梵我不二的。這個主神，便是梵。梵，就是絕對清淨至眞的意思。人性的我，與梵我不二，相似於後世儒家的天人合一，和其他宗教的神我合體的意義。後來這個大梵的宗教意識，與梵我不二的哲學，一直深植印度哲學思想之中，直到現在的印度教，和瑜伽術等，他們的最高目的，還是企求達到梵我合一的境界。但由崇奉淨行書形成的婆羅門教，同時仍循吠陀傳統，崇拜自然偉大，採取下層階級普遍所敬奉的阿修羅、惡鬼、羅刹等神怪，一律加以尊敬。

淨行書比較婆羅門教唯一的特點，就是加上宗教哲學的因果報應。衆生業力流轉生死輪廻，由於宿世不同善惡的種因，便有今生各別苦樂的果報。因此還有所謂「上天堂」與「下地獄」的說法，這就是業果報應的最初來源。

3.奥義書：繼淨行書之後所興起的，就是奥義書。吠陀是印度上古傳統宗教哲學的淵源。一變而有淨行書，包羅叢博，爲印度原始宗教婆羅門教的哲學寶典。再變而有奥義書，爲印度宗教哲學，與知識份子和平民普遍的哲學總滙。當淨行書的末期，印度人對於宗教和哲學的探索，已達到熱情橫溢，上下普及的階段，無論男女老幼，大家都對於心靈的解脫，靈魂的追究，世界生成等問題，竭盡心力去研究。奧義書的音譯，優婆尼沙陀，含有師弟對坐，秘密傳授的意義。內容豐富，思想幽玄，全部概括有兩百種以上。德國哲學家叔本華，醉心欣賞奧義書，他的哲學思想，受其影響很大，他再三讚歎奧義書：充滿神聖與熱情，每章讀起來，都會使人引起高潔的幽思，全世界所有書籍的價值，都難比得上它的卓越與深邃。他認爲這部書是他生前的安慰，死後的寄託。

奧義書思想的特質：

(1)它確定梵我不二：無論在形而上的造化主的本質，與形而下自我的本質，本來就是一個整體，世界萬象，本來就與我同根所生。淨行書的哲學，由肉體的生命說到心靈的生命，但到此爲止，說不出一個所以然。奧義書却把潛在身心內部的自我，分成五藏與四位。所謂四位，便是①醒位②夢位③熟眠位④死位。所謂五藏，便是①食味所成我②生氣所成我③意識所成我④認識所成我⑤歡喜所成我。這個歡喜所成我，就是靈魂自我的至高無上，絕對快樂的境界。

總之：奧義書的梵我哲學，它的最終目的，就是把個人的小我，超脫昇華而歸到大我的大梵裡去，如百川滙海，點滴歸宗，整個宇宙群生，森羅萬象，無非就是一個大我的變化而已。

⑵大梵化生萬象：這個世界的萬象，包括天人動植飛走等生物，都是大梵的化生，它由地、水、火、風、空五大種子，化生卵、胎、熱、濕、馬、人、象，動植飛走等物類。好像大海揚波，變幻生出群象。他並無目的，祇是遊戲性質在變魔術，所以一切現象都是虛幻的，祇有一個梵我是實存的。自大梵生起世界萬象的程序，約可納爲四段過程：

第一，先由名色的我，（可以說是抽象觀念的主觀作用）開展這個世界。

第二，再有太初的我，生起欲望，由於欲望的想像，才流出水、火、大地等三大原素，做成人我。

第三，由人我的化合，進入其他群象。

第四，由我再造世界，才有海和風，生命和死亡。梵我從生命類的頂門進入，做成人我。

人我也就是有情的中心。所謂有情，概括很廣，天人的群類，和世界上的各種生物。梵的自性有兩面，一面可以始終保持本體的本位。一面發展做成一個生活的人我。換言之：一面有力量組織成人我的身體（似肉體的）；另一面又變做一個生命的力量，進為有情物命（類靈魂的）。肉體的部份，有五種風與三德，五種風相似道家所謂的氣機，有呼、吸、介風、死風、消化風等。三德就是喜、憂、闇。梵我被肉體和心識所包圍，不得解脫，猶如禁閉在牢獄中一樣，它永遠在心臟內底的小空處。永久禁閉著我的有關機能，便是生氣（呼吸）

根、意等作用。眼、耳、鼻、舌、皮，名爲知根，是認識的泉源。手、足、舌、排泄器官、生殖器官等，名爲根，是意志的泉源。中間聯絡的主管，就是意。醒時，由五風與根等，全部都在活動。夢時，祇是五風和意在活動。睡眠時，意也休止，祇有五風在活動。覺位，便是解脫的境界，正是那個無喜、無憂、無痛苦、無快樂的梵我的歡喜地。

⑶輪迴與解脫：人我有情的命運，祇有兩條路。一是跟著現象在繼續變化，便是輪迴。一是返還到大梵的本位，便是解脫。有情界不得解脫，便都在天、地、空三界中輪迴三道四生。三道，便是①天道、②祖道——人道、③獸類和地獄道。四生，便是胎、卵、濕、化四類生命。奧義書最終的目的，便是求得解脫，脫離罪惡和煩惱，就是悟得人性中唯一不二的梵淨。人之所以不能還到梵淨，就是無明的障碍，反之，明了就可覺得梵淨。人們怎樣才可以返還梵淨呢？祇有修

習禪定和瑜伽，抑制感覺和表象的活動，念誦梵的表徵唵（嗡Om）字的密語（密呪），能夠念念相續，漸漸可以把握身心，進入眞淨的梵我和大梵重新合一不二。

第二節　各派哲學的興起

一、六派哲學與宗教後先輝映

印度的宗教哲學，由吠陀典到淨行書，再變而爲奧義書，探討宇宙人生的態度與方法，愈來愈加嚴密，內容也逐漸充實而包含廣博，但奧義書的思想，矛盾百出，仍然不能擺脫婆羅門教的範圍。求眞的精神，也是人類潛在的根性，於是從宗教哲學脫穎而出，自求眞諦的各派哲學，當釋迦牟尼創建佛教的先後期間，紛紛獨立，都自有它的哲學系統，和思想組織的體系。依照一般研究印度哲學的習慣，都叫它爲正統六派，異宗三派。所謂正統六派：數論（Samkhya），瑜伽（Yoga），勝論（Vaisesika），正理（Nyaya or Naiyayaka），彌曼差（Puarra Mimansa），吠檀多派（Vedanta）。這六派仍然承認吠陀以來哲學的權威，可以說是婆羅門教的「正統派」。所謂異宗三派：佛教、耆那教、順世派。這三宗是「反正統」，不承認吠陀思想的權威。數論派的世界觀是二元論，說宇宙的根元，有物質原理的自性，與精神原理的神我，由這兩種的發展，有大我慢、五知根、五作根、心根、五唯、五大、二十三諦說明群象。瑜伽派依數論派思想，成立瑜伽哲學。勝論派對於現實世界，立足於多元論，主張物理的世界觀，用實、德、業、同異、和合、根本六句義的六種範疇，說明一切。正理派以勝論思想作背景，發展因明的正理，確定認識的價值。彌曼差派，繼紹淨行書的儀式。吠檀多派，祖述奧義書的哲學。實質上，都是祖述吠陀，稍加修整，另換一番新的面目。

1. 數論派：印度所有宗教的特點，哲學叡智的研究，往往超過絕對信仰的主觀。數論派的哲學，首先便是確定這個現實世界，純苦無樂，要求解脫，必須先了解苦因，但認爲生天、祭祀、祈禱等方法，並非究竟解脫。這個世間，爲三苦所逼：⑴依內苦，就是①病苦（風、熱、痰等）。②心苦，可愛別離、怨憎聚會、所求不得、有生就苦。⑵依外苦，不能擺脫物質世界的迫害等。⑶依天苦，不能脫離自然界的束縛等。

他們建立因中有果論，立自性神我二元，做根本原理。同時又建立二十五諦爲宇宙人生的眞諦。立三種量論：⑴證量（又名現量，相似直覺經驗）。⑵比量（一般知識，都是推測而知的比量。）⑶聖言量。正理派在這三種量以外，又加比喻量。因此認爲神的存在，不能證明，就是不可知數，所以接近於無神論者。所謂二十五諦，如附表：

非能造非所造者	神我
能造者	自性
能造所造者	大（覺）我慢 五唯——色、聲、香、味、觸。
所造者	五大——空、風、火、水、地。 五知根——耳、皮、眼、舌、鼻。 五作根——舌、手、足、男女根、大遺根。 心根

數論派的哲學思想，顯然由婆羅門的宗教意識脫穎而出，傾向於理性的探討和生命的研究，要求解脫輪廻而證道果。中國大藏數論派的典籍，有眞諦所譯的金七十論，可資研究。但整個思想系統，和理論的條理，仍然缺點很多，不能自圓其說。

2. 瑜伽派：瑜伽派的哲學思想，本來與數論派如出一轍。祇是數論的宗旨，大有傾向無神論的成分；瑜伽派却建立超然一尊的神，大自在天。瑜伽（Yoga）的意思，有冥想觀行，天人相應的作用，所以有的譯釋爲相應，有的意譯爲禪、或禪思、禪觀。瑜伽經立爲四品，第一、三昧品（禪定中的覺受Samādhi Pāda），闡述三昧的本質。第二、方法品（Sādhana Pāda），闡述入三昧的修煉方法。第三、神通品（Vibhūti Pāda）闡述神通的原理和它的種類。第四、獨存品（Kaivalya Pāda），闡述最高的目的，達到無繫縛，絕對自在的神我境界。

瑜伽派的哲學，大體與數論派相似，只把自性改作第二十四諦，把神我作第二十五諦，立大自在天（伊濕伐羅Mahlsvara）爲第二十六諦。自在天是無情、無想、無業，不受業果，超然於苦樂業報以外，擴展至超時空的大神我。他是一切天人師，他的表記密語是梵文的唵（嗡Om）字，但念誦它就可以得到相應。但瑜伽所立的神、與人我的身心，又不可分開的，所以他們的修鍊方法和原理，又都從心理與生理入手，絕欲清心，自求解脫。

瑜伽的修鍊方法，由八支行法而達到神通解脫的境界。所謂八支行法，便是禁制、勸制、坐法、調息、制感、執持、靜慮、等持。⑴禁制，就是行爲的戒律，要守不殺、不盜、不邪婬、不妄語、不貪的五戒。⑵勸制，就是清淨的行爲，要知足、苦行、學習念誦和記誦，虔敬大神的五事。以上兩支，無論修道與在俗，都應共同遵守。自第三坐法以下，就祇宜修鍊瑜伽行者的特別修行。⑶坐法，共有八十四種至九十六種之多，有蓮花坐、獅子坐、鷄坐、拜坐等等。還有雙手十指結成的手印，也有許多不同，這些都是達到神通成就的秘密表記。⑷調息、有練習呼吸氣功的各種方法。⑸制感，控制身體的感覺，有收攝六根的龜縮法等，可以達到如動物冬眠的狀態。⑹執持，使令此心不動，斷絕一切妄想，制心一處。⑺靜慮，由持心不動，可使境與心冥，得渾然合一的禪定。⑻等持（卽三昧，或稱爲三摩地）

，終使心如虛空，境照萬象。由執持到靜慮和等持三支，是瑜伽的中心行法。由此而獲得不可思議的神通和智慧。換言之，最後達到啓發自我不可思議的潛在力量，從自性而獲得解脫，進入智慧的境界。但三摩地也有深淺的不同，大體分有想（有心）無想（無心）兩種。無想就是無想定的最高境界，由有心到達無心的妙境，可以使神我超然獨照。修習瑜伽，能夠成就神通，據方便心論所記載，瑜伽外道，便有八微的說法。那就是四大（生理變異），空、意、明、無明。八自在，①能小②能大③輕擧④到遠⑤隨心所欲⑥分身⑦尊勝⑧隱沒（隱身）。

瑜伽派的哲學，與其說他是學術思想，毋寧說他是實證主義，他的理論，也由於上古以來奧義書的層層蛻變，但尤其注重禪思與觀行，用身心求證宗教哲學的眞諦，所用的方法，是近於科學的。印度任何宗教與學派，求證的方法，都離不開瑜伽的禪觀，佛教也不例外，祇是求證所得的，有程度深淺，與見地眞確與否的差別。

3.勝論派：梵語吠世史迦（Vaiśesika）又譯作衞世師，有差異、特性等意義。初以六句義立宗，後又演爲十句義。中國大藏經中收藏有玄奘法師譯，慧月論師著的勝宗十句義，約如：

(1)實　是梵語陀羅標的譯語，就是說宇宙萬有實體的本質是包括時間和空間（體）。

(2)德　是梵語求那的譯語，就是宇宙萬有的現象（相）。

(3)業　是梵語羯磨的譯語，就是萬有的作用（用）。

(4)同　說萬有群象不同中有共同的原則。

(5)異　說萬有同中有各各差異的特性。

(6)和合　說實德、能所等，全體與部份等類之間的關係。

(7)有能　說萬有實德業本身的功能。

(8)無能　說自果自生，不涉他果。

(9)俱分　說同體中互通，例如人和人。非同體中互異，例如人非禽獸。

(10)無說　說萬有群象畢竟的不存在。

十句義的勝論派的總綱，由十句演繹分析，內容包含心理、生理、物理、精神、時、空等理論。他們對於物質世界認為是客觀的存在。同時建立極微的學說，分析物質大種，相似於現在通行的微細物理學、原子核物理學、以及素粒子論理學等等的學說。認為極微無數而常住，由不可見力，集合離散。分析到無可分處，就是極微，並無別有所造的主宰。極微不可見，不可再分析，它永恒不變不滅，無始無終，它的形狀是圓體的。它如光塵（日光中的飛塵）的六分之一大小。但是地水火風四大的極微，又各自不同，它們有色、味、觸，猶如液體。極微互相擁抱，成二重極微，名為子微。三個二重極微相合，成三重極微，名為孫微，它的大小就和光塵相同了。四個三重極微相合，成四重極微等等，這樣輾轉相依，形成三千大千世界。這與希臘初期哲學的原子論、唯物論、與中國易經的陰陽之說，有些地方，都有異曲同功之妙，近於自然科學。但這種學說因發生在印度，他們文化的傳統精神，最後的宗旨，都是要求超脫人間世界，所以勝論派最終的目的，仍然爲求精神的解脫，並不向物的方面去研究發展。勝論派的特點，便是因中無果論，而且趨向解脫之道，是求眞知灼見，等於是純粹的知識論。理論太多，裁定到此爲止，姑且略作論介。我們大藏經中，有百論疏、唯識述記等可資參考。

4正理派：梵語尼夜耶（Nyāya），有推理和標準的意思，通常習慣，譯成正理。就是印度因明學的宗祖學派。正理派開創的目的，仍然在求眞知，達到智慧的解脫，後來演變成爲因明，有五支因明的宗、因、喻、合、結。及三支因明的宗、因、喻。嚴謹的推理體系，都只是繼承正理派求知的一種方法論，並非正理派的大目的。有人認爲西方邏輯（Logic）的發展，與印度因明的關係，大有耐人尋味之處，此是題外的事，暫不置論。

5彌曼差派：梵語彌曼差（Mimāmsā）有思維考察和研究的意思。彌曼差的哲學，可以說是硏究婆羅門教儀的教義，闡揚吠陀思想的宗教哲學。他們發揮闡揚吠陀的祭祀和教法的正統解釋，思維考察淨行書的內義。因此創立「聲常住論」，認爲吠陀經典的文字語言，除了「語意」以外，它的文字「語性」，還是永恒共同常存而不變的。吠陀的文字，就是天啓的經典，不容否認就是眞理，而字聲都有極神秘的力量，把它奉爲最高無上的原理，所以梵文字聲，也具有至高無上的權威。這種哲學的基礎，啓佛教後世密教咒語瑜伽的理論根據，非常有力。至於建立理論的方法，並不是法定的盲目迷信，他也採用因明論理方法做依據，建立量論。有經驗實證的現量，推測而知的比量，還有比喻量和義準量。他完全以維持古典的婆羅門教思想，反對佛教的非儀式主義。但却不能建立唯神存在的理論，所以才有吠檀多派的興起，來補救這個缺憾。

6吠檀多派：本派繼彌曼差派之後興起，也是反對佛教哲學，極力維護吠陀和奧義書的眞理。建立一個一元論的梵爲究竟。顧名思義，就是吠陀的演繹。這兩派雖然時代較後，但因爲它是印度宗教哲學的大系，學說影響人心很大，所以通常都與前述四大派相提並論。

二、釋迦佛教的產生與外道的異同

由以上的簡介，對於印度上古以來的歷史文化和宗教思想，以及各個哲學學派，先後林立的形態，已略有認識。從我們歷史文化的角度來看，恰如東周末期，百家爭鳴，流派繁興，思想的紊亂，和信仰的意念，因衝突而生動搖，加上政治因素，社會經濟貧乏，和種族諸侯間的戰爭和矛盾，所謂加之以師旅，因之以饑饉，由於時代的要求，就有澄清天下或解救世人的非常人物，即應運而生了。但歷史昭示我們，這種非常人物，必然祇有兩條路可走：一條路是尋求武力解決，實行統一天下，安定民生，這是英雄的行徑；一條路是傳播文化思想，實行其言教與身教而作聖人，使其教化，行之於天下，傳之於萬代。英雄是征服一切人，使天下人臣服於自己，但不能征服自己的煩惱和痛苦，以及生前死後的悲哀。聖人是征服自己，有替天下人負擔起長期煩惱，解除別人痛苦的勇氣。釋迦佛教在印度當時的環境中，應運而生，自然是有他的時代背景，和歷史因素的。至於佛教的哲學，和行持的成果？留待後面專章論斷，這裡祇在舉出釋迦出現前後，以及與其同時存在，而且對立以行教化的，並非絕無其人。特爲例舉說明，用以認知釋迦佛教的眞義和精神所在了。

1順世派：這一派的學說，相似於近代的唯物論，又近於現代新興的存在主義。因爲他們的主張，都是依循現實世間，執着情想而建立理論，所以叫做順世派。

順世派否定一切宗教的權威，認爲除了直接感覺以外，沒有可以相信的東西，用推理所得的結論，也是靠不住的。這個世界，除了可以看得見，觸得着的地、水、火、風四大物質以外，沒有一物是眞實的存在。四大互相集合，構成一切生物和人們的身體生命，產生感覺和知識，像醱酵的物體，自相變化一樣，精神的現狀，也是物理的作用。總之：離開物質，就沒有什麼叫做精神的存在。所以人們祇須憑自己的感覺所欲，獵取快樂。在有此身體存在的期間，滿足自己的欲望，便是人類究竟的目的。快樂世界以外，不會另有什麼理想世界。他們充滿着浪漫情調，和物質主義，享樂主義，消極主義等思想，都很相同。他們主張自然無因論，唯其無因，所以無果。他歌唱說：無天堂、無解脫、無精神存在、無他界此方，因此也沒有業果報應。其實，這種思想，在人類的矛盾心理中，永恒而普遍的存在，衆生常在夢夜中，雖有晨鐘暮鼓，又奈之何！可是在釋迦佛傳教的當時，這個學派，也是很有力量的。因此，可以想見印度當時社會的不安，趨向沒落的情勢。凡在動盪的社會，悲涼的時代裡，或文化歷史趨向下坡路時，不產生積極奮發的作爲，便走向消極而沉醉在現實的享受，這種思想和主張，縱使不成其爲學派，也自然而然的存在於人們普遍的意識中，何況一經人提倡，言之成理，見之於行事之間，當然會變成一派的力量了。

2耆那派：耆那派的開創祖師，是伐彈摩那大雄（Vardhamana Mahāvīry），他和釋迦佛同一時代，出生在吠舍離近郊的刹帝利族，二十八歲出家求道，修行十二年，自認爲已大澈大悟，得勝者就爲耆那等稱號。在他後半生的二、三十年間，便組織沙門群衆，遊化摩揭陀、吠舍離兩國之間，最後死在摩揭陀的波婆村。死後不久，他的弟子們分爲兩大派，一白衣派；二裸形派（天體派），或名爲空衣派，佛經中稱他爲尼乾子。當摩揭陀國有大饑饉，僧統婆陀羅（Bhadrabāhu）率領他的一派，移往南印度。餘留在摩揭陀的一派，結集經典，後來回到摩揭陀的一派，不承認這個結集，而且認為南方主張裸形（天體）派的才是正行。摩揭陀派著白衣，因此就醞釀白衣派和裸形派分裂的運動，到了西元一世紀時，實際分裂。後來更又分出許多支派，直到現在，南印度若干修道的人，還是如此。

耆那教的哲學思想，大抵和數論心物對立說相同，認為精神原理的生命，是有命有靈魂的。物質的生命，是無命非靈魂的。他們是純粹的二元論，但又認為精神原理的生命，也不外乎物質。他們又立七諦的學說，就是生命、非生命、漏（非生命漏入）、繫縛、制御、寂靜、解脫，再加善、惡兩諦，又成為九諦了。在哲學的基本立場上，是二元，或多元說，始終自相矛盾的。他們以生命和非生命兩諦，作為生死業果與解脫的要素，其餘都是由此兩諦劃分。他們認為生命是本來自性清淨的實體，因被非生命（物質）所掩蔽，才喪失它本來的光明。一切生活行爲就是業（羯磨），有業滲透到生命裡去，便叫做漏入。所謂業，又是微細的物質，身體運動時，便流出微細的物質，所以這個身體，就是業身。業身又繫縛生命，和非生命結合，輪廻諸道，受苦受樂。要脫離輪廻，便須修苦行，制止業流進入生命，就是制御。制御達到舊業滅了，新業不生，就是寂靜。再進而滅了一切業，生命和物質分離，上昇到超越世間，才是解脫。

另一方面，他們又有類似現在物理學的磁場說法，非常有趣。那就是把生命分做虛空、法、非法、物質四種。四種生命統一，叫做實在體。構成宇宙全體的便是它。虛空，是大空處，便是萬有群象成立和活動的場所。這個場所給與一切以原理，虛空本身是唯一、無限、常住、無作。但又說虛空，是概念上的空間。法，是運動的條件，也就是運動可能的空間。非法，是靜止的條件，也就是靜止可能的空間。法和非法，都是常住、唯一、無作的獨立實體。物質，便是色、香、味、觸、聲等組合或分離的粗細形狀，包括暗影和光熱的物體。細物質就是微，微就是原子；粗物質便是複合物。原子不一定是不可分割的，然而它微細的佔有空間當中的一點，運動極速，好像乾和濕的互相結合，便成複合物，因此就構成事物了。生命、法、非法、物質，並存在虛空中的，就是世間現象。超過這個虛空（物質虛空），就是出世間。他們認爲涅槃是流轉的解脫。佛教有佛、法、僧三寶，他們也說有三寶，那就是正信、正智、正行。他們贊成修苦行，承認四姓的階級，有的教法，和婆羅門教一樣。但排斥吠陀，禁止祭祀，戒除殺生，這些精神，又和佛教相同。

3六師外道與其他，其次與釋迦佛同時並存的六師外道，雖然各持異說，互相爭鳴，但當時與後世，仍然各有他的影響力量，都自擁有部分的信衆。在佛教經典中，隨時都有提到他們，加以批判。但除了尼乾子一系，還有文獻可徵外，其餘各系，都只有一鱗半爪，隱約可以窺見他們學說的內容，雖然存留無多，而立義又偏向荒謬，不過，能自成一家之說的，當然也具有部分足以自圓其荒謬的理由，約述如次：

一、富蘭那說：一切沒有善惡，也沒有罪福的果報，也沒有上下等業力的分別。這種思想，似乎因順世派的觀念而來。

二、末伽梨拘舍離子說：一切衆生，身有七分，卽地、水、火、風、苦、樂、壽命。這七分法，是不可能毀害，永恒安住不動，所以投之利刄，也無傷害，因爲沒有受害者及能死者的原因。這種思想，近於唯物觀念，但似乎因勝論派極微論的觀念所演變。

三、珊闍耶毘胝羅所說：有兩個要點，第一推崇世間現實的權力。第二存有宿命的觀念。他們認爲王者所作自在，物死又可重生，人死也可重生，猶如草木的秋殺冬藏，春來還自重生，所以人死命終，還來生此世間。至於一切苦樂等級，並不由於現在世的造業而來，都因爲過去的關係。現在是無因的，未來是無果的。但現在的行爲，若持戒勤修，努力精進遮蓋現世的惡果，可以得到無漏，因得到無漏，可以盡了過去的業力，所以能夠使苦都盡，衆苦盡了，便是解脫。這種思想，似乎因數論的因中有果論而來。

四、阿耆多翅舍欽婆羅所說：也是認爲無善惡，無禍福，否認因果報應的理論，似乎是由頑空的觀念而來。

五、迦羅鳩馱迦旃延所說：認爲人若殺生，心理如果無慚愧，結果就不會墮在惡道。猶如虛空，不受半點塵水一樣。如果有慚愧，就入地獄，猶如大水，滲透滋潤大地一樣。一切衆生的生命，都由於自在天所造作。所以人沒有罪福可言，人類的行動，都是機械的，造就這個機械的巧匠，便是自在天。這種思想，似乎因瑜伽派的理論而來，每況愈下，愈來愈偏差了。

六、尼犍陀若提子（尼乾子）所說：認爲無佈施、無善、無父無母、無今世後世、無阿羅漢，無修無道。一切衆生，經八萬刧，於生死輪，自然得脫。有罪無罪，悉亦如是。如四大河（印度大河流），所謂信渡、恒河、博叉、利陀，悉八大海，無有差別。一切衆生，亦復如是，得解脫時，悉無差別。這種思想完全是偏空的理論，佛教善於說空，但空並非如唯物觀念的斷滅思想，研究佛學，如果沒有徹底弄清楚，往往所說的空，近於外道的空見，這也是屢見不鮮的事，毫釐之差，千釐之失，對此應該有所警惕了。

又：據維摩經註所傳：一、富蘭那迦葉，說一切法無所有，如虛空，不生滅。二、未迦梨拘賒梨子，說衆生罪垢，無因無緣。三、刪闍夜毗胝羅子，說道不須求，經生死刧數，苦盡自得。如縛縷丸於高山，縷盡自止。四、阿耆多翅舍欽婆羅，說今生受苦，後身常樂。五、迦邏鳩馱迦旃延，說亦有亦無，隨問而答，其人應物起見。若人問言有耶？卽答言有。問言無耶？答言無也。六、尼犍陀若提子，說罪福苦樂，盡由前世，要當必償，今雖行道，不能中斷。此六師盡起邪見，裸形苦行，自稱一切智。

關於印度哲學思想的派別，普通都以上來所說六大派及外道六師等爲對象，如據佛教翻譯各經的記載，派系紛繁，還不止此。通常稱說有九十六種之多的外道見解，瑜伽論列舉十六計（十六種主觀成見的理論），六十二見（六十二種觀念的不同）等。他如外道小乘涅槃論列爲二十種、大日經住心品列爲三十種。有的說時間爲生成宇宙萬有的基本，有的以空間或四方，或自然宇宙爲主要的成因，洋洋灑灑，都各自成一家之言。如要研究世界上的哲學思想與宗教哲學，單以印度來說，已可涵蓋古今中外的各種思潮，可以歎爲觀止了。但歷來研究印度哲學，除了注意他們各個派系不同的思想和理論外，大多忽略了他們都有實驗求證的一套方法，祇言學而不言術，對於印度哲學，無疑的，便是一種缺憾，所以也不能窺見他們的全貌。總之，印度哲學，除了順世派一系是注重現實的享樂主義以外，其他各派的宗旨，大都趨向出世主義，而且都以瑜伽禪思爲修證的軌則，至於瑜伽禪思方法的差別，各派有各派的理論和心得，因此又形成印度哲學修證方法上的大觀，此事不屬本文範圍，姑且從略。但佛教教法求證的方法，也和禪觀及瑜伽脫離不了關係，所以必須在事先有一說明。

結論

以上簡介印度固有文化，到了釋迦牟尼創立佛教的先後時期爲止，對於印度宗教和哲學的情形，大體已有概略的認識，綜合來說，可以得到兩個結論：

一、印度文化：凡是具有悠久歷史的民族，他們所積累的文化思想，都不簡單。印度上古的學術思想，五花八門，無奇不有，可惜他們的歷史，過去沒有經過一個大統一的時期，文化思想的流派，也就龐雜不清了。印度宗教哲學，從吠陀、淨行書、奧義書的發展，演變成各派的哲學，以及與釋迦牟尼佛同時並存的六師外道的學說等，不但是印度上古文化思想的形態，一直到現在再變成爲印度教，或各個地方自由信仰的各種教派，或多或少，仍然保留着過去傳統的觀念和形式。因爲幾千年的傳統，它已經和日常生活融合成一整體。換言之：這些也已經成爲他們的民族意識了。所以我們若不深切了解印度文化，但如浮光掠影，從表面上觀察一番，或祇依某一角度去研究一遍，就認爲已經了解佛教的淵源，那就有群盲摸象，各執一端的可能了。而且我們假如不從印度固有文化哲學着手去了解研究，即使以一個佛教徒來解釋佛經，有時也很容易誤入婆羅門教，或其他各派哲學思想的範疇裡去，何況教外人士的隔膜之談呢！因此在敍述佛教之先，先須對印度文化的宗教哲學，有窮源探本的必要，同時也使研究佛學者，提高一分警覺，免得纏夾不清。

二、佛教的興起：從人生的立場來看，人類文化的發展，和思想的演變，以及出世或入世等偉大人物的產生，和他的學術思想的建立，必然有一前因後果的線索可尋，任何一個宗教教主和大哲學家，也都不能例外。我們先得了解印度固有文化的宗教和哲學，由此可以發現釋迦牟尼佛慈悲救世的動機和目的，他所創立的佛教，和承先啓後，繼往開來的精神所在。倘使我們暫時離棄宗教的特性，放開排除異己的胸襟，但從學術觀點立論，那麼，釋迦牟尼佛在印度上古史上，與中國孔子的用心，並無多大的差異之處。仲尼懼王道不彰，人心陷溺，邪說橫行，於是刪詩書、定禮樂、著春秋以明經世宗旨，存道統以續文化精神。他和釋迦牟尼佛的斥外道，說正法、存平等、行教化、正思維、伸智慧，彼此用以救世救人的存心和精神，雖然稍有出入，但距離並不太遠。至於釋迦佛與孔子的哲學義理，高深淺近的區別，平心而論那是各有所長，殆不可強作比擬了。

釋迦牟尼佛雖然有心閑邪存正，刪繁就簡，但佛教本身，卻未能在印度本土植根或滋長，結果還靠中國將他的全部教法與學說，一概承受下來，加以融會貫通，建立起一個耀古鑠今的中國佛教，實在是一件不可思議的事。可是世界上幾個偉大宗教的教史，大體都不例外，凡是產生教主的所在地，當時都是不肯珍視他的施予，必須等到外人崇敬，才會視如拱璧，慢慢的倒流回來。古今中外人們的共同心理，大概都是貴遠而賤近，崇古而薄今，好秘而惡顯，拒親而愛疏，俗話說：「遠來的和尚好唸經，」也許就是這個道理。以後中國的佛教，是否還須等待有更遠的和尚來唸經，那就足以發人深省了。

日新又新

・靜濤・

自由談

一位在學術文化界小有名氣的文友，今天卻頓改他那自命不凡的作風，前來向我伸謝。原來是我奉贈的那南懷瑾教授的名著《論語別裁》，使他得到了教化。

他坦誠直言，平生很難佩服他人，此番卻被南老師那洋溢着慈悲和智慧的睿語所折服。並立志繼續研究這位被社會各界人士尊崇譽爲「當代通家」、大宗師的儒釋道方面巨著。

做人數十年寒暑，精研一門學問尚屬不易，爲何南老師學貫東西，博通古今？從學人士上至顯達，下至販夫走卒，影響海內外文化至廣至深？

人們可能不知，南老師少懷壯志，心憂天下，早年學佛修道，潛修苦讀，跋涉峨眉終年積雪的峯頂閉關，深入遼遠蒼涼的康藏求法，歷經多少艱難苦辛？

「經綸三大教，出入百家言」的南老師，半世紀爲國効力，爲文化盡瘁，爲宗教獻身。宅心仁厚的南老，整天爲別人忙，除了講學，著書，現任「國際文教基金會理事長」，更爲萬千莘莘學子，發放獎學金，傾注溫暖和愛心。他老日夜接待川流不息的訪客、學生，直到深夜十一時之後才無人打擾，老師笑稱：可以上夜班了！他老無書不讀，每天都要閱讀，曾說過一天沒有新的心得，一天就白過了，這種不斷更新的精神，正如清代金纓所言：讀經傳則根柢厚，看史鑑則事理通，觀雲天則眼界寬，去嗜慾則胸懷淨。

第二章

教主釋迦牟尼佛的簡介

第一節　釋迦的家世

一、薄王業而不爲的大丈夫

前述一個宗教的成長，必然有它文化的背景，但開創這個宗教的教主，以他個人的歷史，與所建立的宗教，關係更爲密切。所以研究一個宗教之先，必須要了解教主的生平，這是不可忽略的事。無論那個宗教，說到教主的生平，大抵都要加上一層神秘而不可思議的傳說，否則，便不足以襯托他的崇高偉大似的。時至二十世紀，因爲科學知識的普及，所有傳統的觀念，都要加以新的仲裁，神聖不可侵犯的宗教，却也勢所難免。與其依據神奇傳說，不能被普偏意識所接受，毋寧從人本的立場，以研究教主的生平，如何發現宇宙人生的眞諦？如何由人格的昇華而至於超凡入聖？反而容易被人信賴，而且對於宗教本身的地位，自亦不會有所貶損。但正當這新舊觀念交變的時代，介述一個教主的生平，既不能一味的墨守陳說，也不能純粹的棄舊從新，祇有折衷兩存，盡量作到比較客觀的平實，留待識者的鑑定。

佛教的教主釋迦牟尼（Sakyamuni），他的生平經歷，正如舉世皆知，出身於印度貴族階級，家庭地位，歷歷可憑，不必另加襯托，就已極盡人世的光榮顯赫了。他父親是國王，他本人爲太子，這也是佛教傳入中國以後，二千年來，人所共知的事。其實，當釋迦牟尼誕生時的印度，恰類似我們春秋時代，那時候的中國，周天子高高在上，諸侯分封割據，邦國互相侵凌，正是封建制度快要崩潰的時期。當時五印度，並沒有一個強力統治的中央政權或共主，地方勢力，仍然停留在酋長分領的邦國狀態，整個印度約分爲兩三百個國家。根據中國傳統歷史的說法，釋迦牟尼的父親，並不是統一全印度的共主或皇帝，而是一位國王。他的種族地位，是屬於掌握軍政的「刹帝利」階級，據有世統的貴族權威。在這世界各大宗教所有教主的行列裡，他以帝王的家業，顯赫的身世，並非因為出身微賤，從艱難困苦中體驗到人生的悲哀，而超然自拔於塵俗之外的。不同的是他在與生俱來安富尊榮的境遇中，却翻然覺悟，不僅為了自己，同時更發願而為一切衆生，尋求永恒解脫之道，並且毅然決然的棄王業而不為，以慈悲濟度衆生的宏願，為覺行萬有的應化，終於創建了代表究竟眞理的偉大佛教。這種聖哲精神，眞是難能可貴，所以值得我們的讚歎和崇敬！

二、生卒年代

研究釋迦牟尼的歷史，有一難題首當其衝，但都無法解決的，那就是印度人素來缺乏歷史傳承的觀念，和準確的時間觀念。印度人自己，過去談到歷史，全靠「婆羅門」教的神話讚頌，永遠缺乏過去和現世的嚴格劃分。印度人現在的歷史，是靠十八世紀以後，東方人和西方人的研究，重新確定而採用的。況且在印度的曆法中，上古的年月季節，和現代有長短的出入；五印度——卽印度全國東西南北中的區分，又有地方氣候寒溫的不同，因此日月年節又都略有出入。所以要確定釋迦的生卒年月，就成爲中外學者的論爭關鍵了。現代人自信科學的方法，有時推陳出新，難免驚世駭俗，把幾千年以來的事物，重新加以確定，往往大膽假設，未能小心求證，常有流於臆說或武斷的，所以不敢苟同，在此祇好折衷兩存，依據客觀的信念，以求平實的論斷。

首先提出我們的資料：有關釋迦寂滅年代的參考文獻，舉如法顯傳、歷代三寶記、破邪論、西域記、釋迦方志、鷲嶺聖賢錄、僧史略、翻譯名義集等。從這些流傳於西藏、緬甸、錫蘭等的記述，及歐西學者的著論中，以推知其最早的一說，謂釋迦入滅是在西元前二四二二年。最近一說則在西元前三二〇——三〇年之間，兩說年代，差距如此之大，這眞是一宗值得研究發掘而有趣的古史事件。

可是，根據西洋歷史，和世界的史料，由馬其頓王亞歷山大侵入印度的史實，可以確定當時印度最有光榮史蹟，因爲亞歷山大無敵的常勝軍，遭到了印度戰士們的頑抗，和哲學家的辯難。而亞力山大入侵印度的時候，正是一位佛教大護法阿育王的出世年代。現在用舉世皆知的阿育王年代爲中心，由此推尋考訂其事蹟，倒數到釋迦入滅的年代，就會發現兩個事實，一是北傳的佛教經論，大多說相隔百年或百餘年；南傳的佛教經典，則說爲二百十八年。其中相差百年，可能是因爲南北印度的曆法年月不同，才導致百餘年的懸隔。其中南傳佛教經典的年代，與東漢費長房的歷代三寶記中所說的「衆聖點記」的年代數字，比較符合。又據大唐內典錄、開元釋教錄及貞元釋教錄的記載，也都近於此說。由此上溯九百七十五年，可以確定釋迦寂滅的時代，正當周敬王三十四年間。再上溯八十年，則釋迦出生之年，正當周靈王七年，也就是西元前五六五年，距今已有二千五百三十一年。至於他生時月日，據傳正是中國紀年的四月初八。不過，這是中國夏曆（陰曆）的日期，並非當時印度的曆日，究竟釋迦的生日，合於現行曆法或夏曆的何年何月何日，就很難說了。不過傳統習慣說是四月初八，已經有二千餘年的歷史，似乎不須再為此事去辨證它。

三、族系傳統

釋迦牟尼佛的生辰，如前引述，我們既已認定為相當於中國周靈王七年的四月初八。他出生在中印度的迦毗羅衛城，又稱謂迦毗羅皤窣都國（Kapiavasth）。這個地方，在印度地理上，即波羅奈——或稱班拿勒斯（Benares）為東北，普特羅——或稱巴特拿（Patna）的西北，哥羅克堡（Gorakhpur）的近傍，尼波羅——或稱尼泊爾（Nepal）的南境，恒河支流的柯哈河（Kohana）——古稱盧呬尼（Rohini）流域。釋迦牟尼佛的誕生處是在迦毗羅衛城東的藍毗尼園（Lumbini）中。

釋迦是他的姓氏，中文意譯便是「能仁」。牟尼是他的名號，中文意譯就是「寂默」。他這個族姓另外還有一、瞿曇（Gautama），二、甘蔗（Ikṣvāku），三、日種（Sūryavaṁsa），四、舍夷（Sākya）等四種稱呼，是屬於軍國武士階級，「刹帝利」種的一族。據後世人類學者的研究，這個種族，最初系由中央亞細亞移來，定居在印度中央平原西部的印度河濱。世系傳承，極其高貴，而釋迦這一宗，便是迦毗羅衞城的城主，依據印度上古的習慣，也可稱它爲國王。當時迦毗羅衞城位於盧呬尼河的西邊，河東同時有拘利城（Koli），也同屬於「刹帝利」種，因此兩族互通婚嫁，以維持其血統的親近。

當迦毗羅衞城賢主淨飯王（Suddodana）五十多歲時，佛母摩耶夫人（Māyā），年已四十五歲，懷孕十月，她因爲愛好清靜，喜歡在自然風光的郊園去散步。一天，正當春末夏初的四月初八，一個風和日麗，鳥語花香的好晨朝，她悠遊於藍毗尼園，看到一株清蔭的無憂樹，枝葉繁茂，便想舉手攀折，不意釋迦就從她的右脅自然誕生下來，並有種種殊勝瑞相，舉國歡慶，這便是有名的佛誕故事。傳說釋迦生後七日，佛母摩耶夫人不幸辭世，由其姨母摩訶波闍波提（Mahā-prajāpati 中譯爲大愛道）夫人撫養長大，他受到姨母的愛護，如母無異。

歷史記載，關於命世人物，如宗教教主或開國帝王的降生事蹟，大都勦襲傳會，不是說赤電繞樞，就是說紅光滿室，如此類例，無非表明其生有自來，旨在予以神格的裝點，或偶像的塑造，頗可耐人尋味。前引釋迦佛誕生的故事，誠屬不可思議，使人無法相信。可是在這段事跡裡，也有幾點，值得注意：㈠淨飯王晚年得子，其心期於子嗣的緜延和王業的傳承，殷切之情，自不待言。釋迦出身貴胄，環境優裕，而長大成人後，却毅然捨棄王位，出家修道。這是何等的氣魄？何等的胸襟？㈡母親脅下生子，確是匪夷所思，但根據其生後七日，母命告終的傳說，可以想見其為破腹而生，或係特別生產，殆無可疑。㈢姨母摩訶波闍波提夫人，撫育釋迦長大，也是淨飯王的另一賢妃，後來也從釋迦佛出家學道為比丘尼。由此可見她也眞是一位慈輝永耀的偉大女性、和上善知識的護法尊者，想來也非偶然，值得我們崇敬。

四、生有自來的神異傳述

就佛教言，依據佛經典籍，我們知道關於所謂佛的世界，並非僅在這個世界，與這個時期，及現有的時空中，是由釋迦牟尼佛所手創者。據說：我們所依存的這個世界，由成住到壞滅，歷刼無數。其小焉者，譬如地球上已有若干次冰河時期或洪水時期，眞是滄桑多變，但佛法的存在，却縣延不絕。我們現在正在「賢聖刼」中，所謂「賢聖刼」，是指此一宇宙萬億年的時計裏，會有很多的聖賢，陸續誕生，由於修習大乘佛教的菩薩道，已證十地菩薩果位，此生命終，即上生於天衆中的「兜率天」或「兜率內院」，名爲一生補處菩薩，待此世界中另一刧數到來，人類歷史變更，世上佛法衰息。然後，這一生補處菩薩，便又重經人道而降生而出家乃至成佛。於是佛教大興，佛法因以住世，現在的一生補處菩薩——彌勒，也就是未來世界的候補佛。一說釋迦牟尼，住在他方世界，由來成佛已久，這次降生遞補爲我們「娑婆世界」「賢聖刧」的第八佛（或說第四佛），在此以前，我們世上過去已經有七佛住世了。至於釋迦的宿世善行和萬德因緣，在各種經典中的記載，多至五、六百件。總之，都是一些無上功德的妙勝事蹟，不必一一細說。但綜合他在世的一生中，通名釋迦佛的示現八相，也就是說明他一代的事跡，可以分爲八個階段：

八相內義

一、降兜率　先住於兜率天，見時機已熟便下降人間。

二、託胎　乘六牙白象，降神母胎。

三、出生　四月八日，於藍毘尼園，由摩耶夫人右脅出生。

四、出家　年十九歲，觀世無常，出王宮，入山學道。

五、降魔　經六年苦行，在菩提樹下降伏魔軍。

六、成道　十二月八日，明星出時，豁然悟道。

七、轉法輪　成道以後，四十九年間說法度生。

八、入涅槃　世壽八十，在娑羅雙樹下，入於涅槃。

此外，爲了研究佛教教義，和研究釋迦史傳所最宜注意的，便是經典所載釋迦佛誕生不久時候，卽能步行，並有七步偈語說道：「無數刼來，這是我的最後受生。我於一切天人之中，最尊最勝。此生利益天人，普願救度衆生。」也就是佛教傳入中國以來所傳述的「天上天下，唯我獨尊。」兩句話頭。由此可以啓發我們必須加意研討的，計有如下兩點：㈠假定僅從宗教的立場來看，釋迦當時所說，祇是使人覺得這是極端具有教主權威的獨特表象，對它不是絕對信服，就是非常反感。㈡我們推勘到底，「天上天下，唯我獨尊」，這却是佛教的精義所在，因爲，它說明了人生的眞價，和表露了人性的尊嚴。我們要有自發的精神，做天地間第一等人；我們要以自奮的勇力，做天地間第一等事。正是中國傳統文化所謂「天人合一」的最好引申。由人至於生天成佛，爲神爲主，或由人而墮落沉淪，一切都決定在自我的一念善惡之間。「天上天下，唯我獨尊。」此「我」並非釋迦一人的「我」，也正是「舜何人也，我何人也」人我一如，人性自覺的眞我。釋迦教主，生而能言，幼而徇齊，長而爲聖。乃至一代佛教的精神，就在他生而能言的這兩句話語中，已經透露消息了，如果純從感情觀點，視同放誕，未免厚誣佛語。

五、允文允武的天生神童

釋迦既生，他的父王便邀請了很多有名的「婆羅門」學者，爲他舉行命名典禮，大家認爲他降生時具有種種瑞相，所以就定名爲悉達多，中文譯義，那便是「一切義成，具足吉祥」的意思。他的妙相莊嚴，特別美好。當時印度「婆羅門」中有一位最具權威的智者阿私陀仙，住在香山修道，遠離愛著，常入禪定，知道釋迦降生，自動前來祝賀，他對淨飯王說：「我看太子具足三十二相，八十種好，如此相好之身，若是在家，年十九歲，便爲轉輪聖王；若是出家，可成一切種智，廣濟天人。但觀大王太子，必當學道，得成正覺，轉大法輪，利益人天，開世間眼。」淨飯王晚年得子，極切盼望他能繼承王位，開張國勢，聽說他會走上出家學道的路上去，所以極爲憂悶，就加意保護，設計防範，凡是可以陶悅情志，流連光景的聲色之娛和人間享受，他都打算加以運用，企使太子不致生起出家的念頭，和阿私陀仙的預言，不致於成爲事實。

當釋迦七歲時，開始接受宮廷教育。淨飯王爲他遍請名師，令就學問。最初延聘一位文學修養特優的婆羅門，名毗奢密多羅（Viśvāmitra 中譯選友）授以文學。一日，釋迦提出當時印度的文字，計有六十四種之多，例如：「梵文、佉留文、護文、疾堅文、龍虎文、犍盃和文、阿須輪文、鹿輪文、天腹文、轉數文、轉眼文、觀空文、攝取文……等。」究竟以何種爲標準文字？因此使毗奢密多羅受窘異常。而且他能夠找出書中的闕字，詰問於師，最後反使教者讚歎折服，因自慚而辭去。同時又爲他延請釋迦種族一位擅精武術的名師羼提提婆（Ksantidiva 中譯爲忍天），教其武功，以及軍事教育等兵戎法式，與二十九種武藝工夫。所以他在十四、五歲之間，便能馴服大象，隻手舉象擲出城外，立即還以手接置地，大象任其擺佈，不會損傷。挽弓射箭，可以直穿百里之鼓，力透射擊鵠的七重鐵豬。

他由七歲從學，經過七年之間，凡屬天文、地理、典籍、議論、祭祀、占察、聲論、書數、樂舞、文章、圖畫，乃至一切技藝、方術，無不嫻習通曉。

總之，他以王位的繼承者，既然有了良好的宮廷教育，加上他的天生智慧和資質，在十五歲時，他已經完成文事、武功所有的學問了。因此淨飯王，便擇定當年的二月初八，爲他舉行灌頂授職大典，延請鄰國諸王、大臣、婆羅門衆等來觀禮，用四海水爲他灌頂授印，立爲儲君。

六、悲天憫人的至性至情

釋迦以天縱睿智，出生在帝王宮廷，對世間一般的學問知識，無所不通，自然具有超人的智慧。也正因爲他具有超人的智慧，他自有生以來，對宇宙生命的探究，和世事人生的懷疑，始終無法使他安於現實。加以當時印度諸侯邦國之間的互相侵凌，種姓階級的苦樂懸殊，無一不使他觸目驚心，因此他對這個世間的芸芸衆生，時常抱有一種不可把捉的無常之痛，他以大悲的慈心尋求徹底解決人世間的痛苦和煩惱，要使人性得到昇華，人生得到解脫。所以他便經常陷入沉思定默之中。一天，他外出郊遊，息歇於大樹之下，看到田野裡耕種的農人，烈日炙背，揮汗苦作。耕牛力挽重犂，被驅使鞭打着，備受虐待，結果弄到人牛皆困，饑渴交迫。又見犂田翻土，地下蟲豸，無法藏身，群蟻紛紛爬起，似已感知大禍將臨，尋覓它們生命的安全所在，結果飛鳥翔集，資爲口糧，看來無一倖免。這種弱肉強食，衆苦熬煎，殘酷無情的世間相，使他發生更大的惶惑和更深的痛苦。人生爲了什麼？爲什麼有了這個悲慘世間的存在？宇宙生命的意義究竟何在？因此，他在樹下坐定，心生厭離，想到世出世間等問題，又陷入沉思的禪默中，歷時很久。

他的少年生活，並不因爲安富尊榮而歡娛快樂，却經常爲了尋求解脫人世間的煩惱和痛苦，在禪思寂默中過日子。這使淨飯王記起阿私陀仙的預言，怕他要出家學道而黯然流淚。所以在他十七歲那年，便同時爲他娶納第一美人耶輸陀羅（Yasodhara）和瞿毗耶(Gopka）兩位做妃子。而且還爲他建三時之殿（中印度無寒冬，年分三季，所以祇建三時之殿）。使他在春夏秋的季節裡，各有極其舒服的適宜住處。但是他對美麗的妃嬪，和豪華的享受，並不感覺興趣，毫無貪着留戀。據佛典的記載，他和二妃原來沒有夫婦之道的行爲，所以使宮人都懷疑他是一個虛有其表的大丈夫。他也了解他們的懷疑，在某天熟睡中，特別顯示他的丈夫相，使她們相信他非不能也，實不爲也的偉大特異之處。

釋迦爲了解決整個人生問題及尋求宇宙間的究竟眞理，一心要想出家學道，這使他的父王和家族更加擔憂，因此便下令限制他外出宮門，以免引起他更大的悲世思想。而且特別挑選了一名學問淵博，能言善辯的「婆羅門」子，名優陀夷（Uday in），終日侍從陪伴，做爲他的朋友，希望能夠勸導影響，挽回他的心意，對現實世間，和現實人生，增加情趣，但又終於失敗了。他曾經請求過父王，放他一度外出郊遊，他又體會到了人生的無常，誰也免不了「生」「老」「病」

「死」的侵奪！誰也逃不出「生」「老」「病」「死」的牢籠！這種人生的無常，究竟有無主宰？究竟有無眞我。倘使絕無主宰，那生命的意義，基本上是沒有價值和目的的，這就等於唯物論的觀點，在後來佛學中，名爲「斷見」，是絕對錯誤的。倘使有主並有眞我的存在，它又是個什麼形態？如果說它是超越於人和萬物而且能夠加以控制把握的，這也是人們自己心理的臆測或觀念的形成；何況，它既能有控制把握的主宰權力，何必又使這個世界和人生，造成如此悲慘的現象呢？這在後來佛學上，就名爲「常見」。實際上離心以外，觀察世間和超世間，一切都是諸法無常，沒有永恒存在的。

於是他出家求道的意念，愈來愈加迫切了。他正式向他父王提出這個要求，他父王認爲他和妃子耶輸陀羅有了身孕，生出孩子，不使其國斷嗣，再談此事。據佛典的記載，他就用左手指在耶輸陀羅的腹上，立刻使她感覺已經懷孕。這和釋迦生而能行七步，又能開口說話，同樣神奇異常，同樣使人難以置信。不過釋迦因爲父王憂心缺乏子嗣，而爲父王生子出家，這是善盡孝道，也不違背情理。況且正因爲他盡了人子之責，然後一心以行超越人天之道，更足以見其崇高偉大和稀有妙勝的特點。那末神異之辯，祇是多餘的事，我們可以存而不論了。

第二節　出家與悟道

一、逃世入山求道的太子

釋迦出家的年代，以無信史可徵，我們祇好說他十九歲那年二月初八日，他自忖因緣成熟，便乘他的妃嬪、警衛等人在夜深熟睡時，起身喚起侍僕車匿，備乘駿馬犍陟，告訴他就要一同出城，去飲甘露泉水。車匿已經知道他的本意所在，一時勸阻不住，祇好拚命拉住馬尾，釋迦也只好不開宮門，奮勇躍馬，連帶車匿，飛越北城而去。這一幕的展現，也正是釋迦一生發揮大雄大勇大慈悲的開始，拿它和帶甲百萬，戰無不勝，投鞭斷流，叱咤風雲的英雄們來相比較，無疑的，這躍馬出城出家修道的一舉，以視前者的胸襟氣慨，自有天淵之別。英雄事業，可以征服天下，絕難征服自己。唯釋迦則不然，他以大無畏的精神征服自己，摧心賊於無相，棄天下如敝屣，所以能夠轉凡成聖，足爲人天師表了。

他們一出北城，便向東馳行，犍陟快足如飛，到了跋伽仙人（B-hārgaua）的苦行林中，這時黑夜已過，光明就在眼前，他決定要入山問道了，便命車匿還宮。並脫髻中明珠，以奉父王；身上瓔珞，以奉姨母；其餘莊嚴服具，給予耶輸陀羅。一切交待清楚，他又自行拔劍，薙除鬚髮，改裝袈裟，以示決心前行修道。同時自誓說：「我若不了生死，終不回宮。我若不成佛道，終不回見父王。我若不盡恩愛之情，終不回見姨母和二妃。」當時弄得車匿惶恐悲泣，以致悶絕昏倒，到醒來時，祇好回城報命，太子出家，它帶來了滿城的悲哀，也帶給了舉國的嗟歎！

二、六年來遍學各派道法

從此，他以雲遊之身，到處參學。他曾經見過跋伽仙人的修行場所，看到許多離塵絕俗苦行修道的人，有的穿草衣，有的著樹皮。他們都吃些華菓充飢，或日食一頓，或二日一食，或三日一餐，企苦行成道。他們崇奉庶物，或拜水或拜火，或敬祠日月，或臥塵污土中，或睡荆棘叢上，或長年居於水火之側，備受蒸炙之苦。類似這些印度文化傳統中的宗教生活和修道方式，無論「婆羅門」，「瑜伽術」，乃至印度教等，在釋迦出家的前後，顯然普遍地盛行着，直到如今，還是流傳不衰。釋迦當時看到這些情形，他與跋伽仙人曾經交換意見，作過嚴謹的討論，他問他們那些形形色色的苦行者，究竟目的何在？跋伽仙人的答覆，認爲刻苦自身，可以贏得升天的福報。釋迦却認爲苦樂對立，罪福相乘，仍然還在輪廻往復的樊籬中，並不能解脫生死，苦行誠然可以潔淸心志，離絕牽累，但是未必就能眞正了生脫死，成無上道。因此他留此一宿，便立卽辭去。

後來他又去學習當時印度著名的禪定工夫，修習無想定達三年之久。所謂無想定的禪定工夫，是以泯滅思想爲最高方法。三年中他實際做到了無思無慮，但最後認爲這也不是眞道，便捨棄而去。因爲這種境界，也是自心造成的，至於此心主宰的根本爲何？畢竟仍無所知。

因此他又到阿羅邏仙人（Aratakalama）處，學習非想非非想定。所謂非想，乃非一般普通心理活動的思維妄想。所謂非非想，就是做到雖無普通的妄想思維，但還能了然於一切。許多人認爲禪定工夫，到此地步，已屬高不可攀，其實，正是落在微細煩惱的見思惑中。當時經過三年，他提出了問題，認爲；非想非非想定處，是有我耶？

是無我耶？若說無我，不應說非想非非想；若言有我，便非解脫。因爲衆生正因爲有我，方生諸苦。非想非非想定中，雖然可以使粗的妄想煩惱暫停，但微細的煩惱，依舊存在。若不能捨除我相與我想，何以能達眞正解脫？所以他又捨此而去。

三、雪山林下苦行六年

釋迦入山修行在六年的時光中，他已遍訪著名道者；但無眞正明師，所以毫無收穫。然於當時各種修道方法，無論如何難行苦行，他都已經一一修習做到，而且極爲精通。在這期間，他的父王曾經打聽到他的行踪，派遣王師大臣前來勸說，仍然不爲所動，祇好密留大臣等的公子憍陳如等五人，追侍太子修行，密加保護，這就是後來釋迦弟子中著名的先期五大弟子，其中以憍陳如爲首座。同時他因歷訪諸師，始終不得究竟解脫之道，便暫行棲止在槃荼婆山中，常入王舍城（Rajagriha）乞食度日。但城主頻婆娑羅王很快地就知道了他的行踪，親來勸請還俗，甚至願以王位相讓，可是他也婉辭謝絕了。頻婆娑羅王最後只好與他約定：「若成道時，願先見度。」後來釋迦成道，所以常川住在王舍城中，弘宣他的佛教了。

此後，他又到達尼連禪河（Noiranjana）附近，迦耶山（Gaya-sirsa 即象頭山）的南端，鄰近雪山，即優婁頻螺（Mruvela）聚落的苦行林中，靜坐思維，修習苦行，或日食一麻，或日食一米，或復二日食一麻米，乃至七日食一麻米。由於他趺坐苦修，不起經行散步，目不瞬睛，心無恐怖，變得形銷骨立，鬚髮捲亂猶如蓬蒿，被喜鵲錯認作草叢，就此在他頭上做起窠來。地上蘆葦，盤繞過膝。此時釋迦，非常孱弱，儼然如衰朽垂死的人。他以六年的時間，修此種難行的苦行，後來忽然想到這和一般認爲苦行修身就是眞道的作風，又有什麼差別？所以他又捨此而去，獨自南行。

四、豁然頓悟而成佛道

在過去的六年裡，釋迦苦其心志的禪靜思維，毫無疑問的因爲缺乏營養，而弄得衰弱不堪。但其金剛的信念和堅定的精神，就是淨飯王所派出追尋他的王師大臣，也都深受感動，無不肅然起敬，所以隨來的憍陳如等五人，都願留在那裡，伴隨太子學道，就在附近覓地專修。那時釋迦正當盛年，大約三十至三十一歲之間。自從他覺得這種修行，並非正道，便獨自離開苦行林中，接受牧女難陀波羅的乳糜供養，恢復到少壯的體力。憍陳如等五人見到這種情形，便認爲他受不了苦行的考驗，以致道心退墮，爲之非常失望，就離他而去，到達波羅奈國（Varanasi）的鹿野苑（Mrgadava）自修苦行去了。

釋迦既已恢復體力，便自入尼連禪河沐浴，一洗過去勞形苦志的積垢，身心異常愉快，獨自走到距離尼連禪河十里的畢波羅樹（Pippala 佛成道後，更名爲菩提樹）下，自敷吉祥草座，雙足結跏趺坐而坐，並發誓說：「我如不證菩提（菩提，中譯自性正覺之義）不起此座。」由於他過去曾偏學各種禪定，功力已深，這一坐經過了四十八日之久，便深入到禪思的妙境。當十二月七日的夜間，他在禪思座中，受到種種魔境的顯現和干擾，如聲色貨利，如生死恐怖，他都不爲所感，所謂魔軍，魔女等等，結果都被他的定力所降伏。就在這一夜中，他逐步證得了一、神境智證通（神足通），二、天眼智證通（天眼通），三、天耳智證通（天耳通），四、他心智證通（他心通），五、宿住隨念智證通（宿命通），六、漏盡智證通（漏盡通）等六種神通境界，身心自放大光明境。到了初八日的晨朝，忽然看到明星出現（應是太陽初出，因印度對天文習俗的慣語，通常稱太陽爲明星），就此廓然大悟，證得「阿耨多羅三藐三菩提」（中譯無上正等正覺），因此爽然歎道：「異哉！一切衆生，皆具如來智慧德相，祇因妄想執著，不能證得。」

按：釋迦初悟道時這一段說法，各種佛經譯語都稍有出入，現在依照歷代禪宗相傳意譯爲準，採用以上的話，比較明白易曉。

我們回溯此一大事因緣：釋迦自十九歲出家學道，經過十二年來的普遍參學，備歷艱辛。到了三十一歲左右，始證得各種神通境界，洞見人類身心潛能的無比妙用，和生命的根本。同時覩明星而悟道，了徹宇宙人生的眞諦，爽然太息，原來如此。當下他就想進入涅槃（寂滅圓明），懶得說法了。因此震動天人，紛紛請求他留形住世，廣化衆生，他曾經對天人們說過：「止止，我法妙難思。」也正因爲他有此一說，使我們可以了解佛法的奧義所在，究竟是怎麼一回事，所謂「不可思議」。通常一般人，便認爲佛法是學不到，摸不着，看不見的。那知「不可思議」正如「我法妙難思」這句話一樣，祇是一個方法論。因爲任何宗教或哲學，一般的習慣，都是用思想去推測，或憑情感去信奉它，討論它。思想推測就是思，情感信奉或討論就是議。如果但從思想或情感議論來求證宇宙人生的眞諦，那無異是背道而馳，眞有妙難思之感了。妙難思和「不可思議」這一句話，正是指出一般人們在方法上的錯誤，並非說是「不能思議」！祇要我們犖身心去實證，不用思議去推測，就可到達我們自性本來俱備的正覺佛境了。

第三節　教化創建的情形

一、開始教化及其基本弟子

悟道後的釋迦牟尼佛，因爲接受人天的慇懃勸請，決心宣教濟世，他首先到達自古相傳的聖地鹿野苑，爲昔年追隨雪山林下，專修苦行的憍陳如等五人，開始宣說苦、集、滅、道的四諦聖法。五人先後都得悟解，便在佛的教法中出家修道，名爲比丘（中譯相當乞士，上乞法於佛，下乞食於衆生），這就是釋迦佛行教的開始，佛語名爲初轉法輪，也就是佛教所謂有「佛寶」「法寶」「僧寶」等三寶的開始。同時婆羅奈斯城的長者子耶舍，又名寶稱，因感覺人生的苦痛，生起正法的信念，聞風來到鹿野苑依佛出家，並且帶來他的朋輩，五十位長者的子弟，也皈依了釋迦佛。同時耶舍的父母妻子，跟著也都依信而為在家修行的優婆塞、優婆夷。釋迦佛第一次住在鹿野苑的三個月中，已收得虔信弟子五十六人，從此分遣他們到四方遊行教化，他自己却單獨來到尼連禪河邊摩竭提國的王舍城中，施展神通，教化專門拜火的外道。這時「婆羅門」正統的三主教，優樓頻螺迦葉、那提迦葉和伽耶迦葉等兄弟三人，竟率領著他們門下的弟子一千人，都誠心的皈依了釋迦佛。其次又攝服了婆羅門衆中以聰明智慧著稱的學者舍利弗和目犍連，兩人又各率領門下弟子一百人，一齊皈依佛教。於是釋迦佛，便以三十多歲的年齡，開始就擁有基本的出家衆弟子一千二百五十人，他們到處追隨遊方教化，聽聞佛的說法，是佛的常隨衆等。後世結集的佛經中，每每提到「比丘千二百五十人俱」，就是指這般資歷老到、根器深厚的賢弟子。後來又有一位聰明才智、威德出衆的摩訶迦葉（卽大迦葉），也來皈依，便是後世相傳承受佛教禪宗的初祖。其實當時的舍利弗與三迦葉弟兄，年齡比釋迦佛還要老大得多，當他開始外出行敎，許多不知道的人，起初都認爲這位年輕的釋迦，還是他們群衆中的弟子呢。在當時印度的敎派中，釋迦佛一出山，便擁有基本弟子一千餘衆，這種聲勢的影響，可說相當驚人了。

後來四十多年的說法行敎，所有皈依他的出家在家的弟子，不分種族貴賤男女老幼都有，在名義和事實的區分上，便形成了佛的四衆弟子。出家的男子，名爲比丘；出家的女子，名爲比丘尼。在家的男子，名爲優婆塞；在家的女子，名爲優婆夷（中名通稱男居士、女居士）。再以後的出家衆或在家衆，無論男女老幼，凡有心存佛境，身在塵世，具足離塵拔俗特立獨行的佛家思想和行持，乃至永遠無盡，不受時空限制，宏願廣度衆生者，一律稱為「大乘菩薩」。「菩薩」就是梵語「菩提薩埵」的簡稱，具有自覺覺人、自利利他的殊勝妙義。

當時佛弟子的比丘衆中，又有十大弟子，各以獨有的專長而見稱。舉如：舍利弗，智慧第一；目犍連，神通第一；大迦葉，頭陀（苦行）第一；阿那律，天眼第一；須菩提，解空第一；富樓那，說法第一；迦旃延，論議第一；優波離，持戒第一；羅睺羅（佛的獨子），密行第一；阿難（佛的堂弟），多聞（博聞強記）第一。這就是佛嫡傳成就殊勝的十大傑出弟子。

二、說法的情況與說法的時地

釋迦佛率領了一群新興學派的弟子們，漸次遊行教化到了王舍城，因昔年初棄尊位，入山修道的時候，曾與頻婆娑羅王有約，成道以後，當先來度化，所以就如約前來，安住在頻婆娑羅王為他特建的「

竹林精舍」，上自國王，下至庶民，無不欽誠歸仰。這就是佛教在印度初有寺院的開始。不久，因舍衞國波斯匿王治下，有一名門巨室的富翁須達長者，樂善好施，信奉釋迦佛教，用金葉舖地來論價，爲他購買了憍薩羅王太子所特有的「祇陀園林」，於是感動了王太子的同意合作，和舉國上下一致的信仰，乃在舍衞城中特意爲佛建立一座「祇園精舍」，又叫做「給孤獨園」。這是因爲須達長者樂善好施，以救濟孤獨貧苦的善行而得名。當時這座精舍的建築，內有十二浮圖（佛塔），七十二間講堂，三千六百間房舍，五百間樓閣。供養容納佛教的僧俗弟子們，這可說是釋迦佛教在印度最早的一座學院。從此以後，釋迦佛便常川往來居住在摩竭提國王舍城的「竹林精舍」，或舍衞國給孤獨長者的「祇園精舍」，成爲經常宣揚教化的兩處道場。

摩竭提國，在當時的印度，是一政治安定、經濟繁榮的安樂國土，所以他們的生活，也過得非常舒服，據稱是一飲食作樂，倡伎常歡不廢夙夜遊戲的國家。自從釋迦佛常川住此行教後，王舍城中晝夜寂靜，誦聲濟濟，捨世俗樂，齋戒讀經，不捨三寶，唯佛是尊。同時舍衞國的風氣，也因欽奉佛教，孜孜爲善，從此鄰國相望，教化大行。由此可見釋迦佛教淨化人間國土的教育力量，其影響之巨和收效之廣，可謂盛極一時，釋迦現身說法，十餘年中，竟有如此成就，足以令人嚮往！

釋迦佛自成道以至開始傳佈佛教期間，因爲他父王的想念，曾傳命要他回國。他就先遣弟子一人，回國顯現神通，然後親自回來，爲他父親淨飯王說法，使他心得解證。同時又感化了對他有養育之恩的姨母摩訶波闍波提和他的妻子耶輸陀羅，使得他們後來也都從佛出家。同時又感化了從兄弟阿難陀、提婆達多、阿睺樓陀；和他自己的兒子羅睺羅；以及首陀（印度階級觀念中的賤民氏族）種姓的優婆離等，都相繼歸佛出家。他在本國的時候，仍然依照佛制，自行外出，平等乞食。這件事使他的父王深感不安，結果他說服了他的父王，還是依照出家人平等的規矩，實行乞食。後來大約在他開始傳教的五、六年間，他的父王因老衰而病重垂危，很想見他一面，他又率領了阿難陀和羅睺羅等回國，親行飾終大典，於父王臨終時，隨侍在側，以手撫心，使其平安逝去。同時並依禮與堂弟難陀，從弟阿難及兒子羅睺羅等，分秩肅立在父王遺體的頭足兩旁，恭謹護靈。父王梓宮出殯，他也親為舁舉，以表哀念。最後，奉父王梓宮到王舍城的靈鷲山，在他自己安居清修教化之地，火化起塔，一切遵禮如儀，以教示為人子者，應該善盡養生送死之道。這是何等至情至理的表露。

此後，從成道到涅槃，這四五十年間，經常在摩竭提、舍衛國，做南北兩處的行教中心，並且隨時遊化於恒河沿岸的中印度各國，不揀僧俗賢愚，不分貴賤貧富，無論男女老幼，一律隨機說教，凡是接觸過他偉大圓滿的人格、聽聞過他高深微妙的教理者，無一不被感化。後來皈依他的弟子，究竟到達多少人數，確實無法統計。他以數十年來的教化，弟子衆中人數增多，智賢愚不肖兼收並蓄，這樣一個精神領導團體教育的生活中，個人與團體，外界與內部，以及團衆之間的種種關係，不免發生許多事故。因此隨時間的推展，和經驗的教訓，除了基本道德的人格教條：殺、盜、淫、妄以外，漸漸立定許多規矩，以後便成爲佛教的戒律了。

釋迦佛行年八十左右，也正是他成道後第四十八、九年間的一個夏天，便在吠舍離城附近的波梨婆村（竹芳村 Beluvana）渡過雨季，他曾宣示不久當入涅槃。因此就向北在拘尸那揭羅城（Kuśinagaya）作最後的遊行。不久，又在本生處娑羅園的雙樹下，爲老婆羅門須跋陀羅說法旣竟，並收他作最後的弟子後，就示疾不起，以右脇臥而入涅槃。這時約當西元前四百八、九十年之間二月十五日的夜半。弟子中的摩訶迦葉，最後由靈鷲山趕到，主持喪禮，佛在金棺中故示神通，垂足以慰其心，便湛然入寂。臨入涅槃時，因弟子們請問後事，他便諄諄告誡。以後以戒爲師，所以後來佛教對於戒律，與他所說的經教，都同等重視，一直奉行不迭。

三、佛經的結集與部派的分化

釋迦佛既入涅槃，佛弟子們覺得導師已去，茫然無所依怙，大家商量，當前最重要的事業，就是結集佛的說法，彙爲經典。所謂「結集」，便有記誦和編纂的意思。於是由十大弟子中的大迦葉領導，遴選出親受佛說教義，確已證得佛法中道果的人，誦出多年來佛住世時所聞遺教，而以載之文字，立爲經典。當時由已證阿羅漢（殺賊，已滅除煩惱心賊的意思）果位者共五百人，便集中在王舍城外的七葉岩窟，從佛示寂滅後第一個雨季的二月二日，就是六月十七日，開始結集。當時大迦葉被推舉爲衆中上座（猶之現在會所主席團的首座），先行結集毘尼（內涵戒律和調伏身心煩惱的意思），由大迦葉提出戒律的各條目，質詢佛弟子中持戒第一的優波離，由他答問，依次誦出戒律的制時（制作時間）、制處（制作地點）、因緣（爲什麼原因而製定這條戒律）、對機（由何人何事而開始定律）、制規（確定應守的規戒）、犯戒（怎樣才叫做犯戒）等等。其次宣讀記載的戒律，由五百比丘大會合誦通過，永遠定爲佛制，才算完成了結集毘尼的工作。跟著由佛弟阿難誦出達磨（中譯法藏）之後，也由大迦葉提出質詢，阿難答出說時（說法的時間）、說處（說法的地點）、因緣（是何原因）、對機（對何人何事而說）、說法（說的什麼法）、領解（聽衆當時的領悟程度），再由大衆合誦通過，確認是佛所說的法，並無錯誤，才算完成了經教的結集。這是佛涅槃後第一次的結集，所以也叫「第一結集」，又叫做「王舍城結集」。可是這次參加結集的人選條件，是以已經證得聖果的五百羅漢爲標準，又因不曾參加這次結集的弟子們，約有數百至千人左右，他們就自開局面，以五比丘之一的婆師波為上首，在距離五百結集並不太遠的西面，另作佛經的結集，後來就叫它為「大衆結集」，又稱「界外結集」或「大乘結集」。同時有說當時結集的佛法，就有經、律、論等三藏，乃至又有加上雜集、梵咒，共為五藏的說法。

總之，釋迦佛一生說法，但以身教言教為止，雖然他也是擅長語文而最會演說的高手，但他從來沒有動手寫作，留下片楮隻字。他不想以藏之名山的事業而留得後世的盛名，這是一個事實。這個事實給予後人的啓示很大，而且富於哲學教育的眞精神。另一方面，我們也可以看到，凡是世人所崇奉的教主和聖哲，大多不親著述。在中國，古代的老子雖曾著作道德經五千言，但是究有多少出自他的手筆，那就很難定論，可是他何嘗不會感到璞散為文，是引以為憾的呢！孔子至聖，删詩書、定禮樂，但他也曾自我表白，說是「述而不作，信而好古」，這不是很好的例證嗎？釋迦佛的說法，後來成為經典，那又歸功一般具有高深修養，長於道德文學的佛弟子，他們全心集結，凡所親聞，胥歸載筆，加以文字富麗，義理精湛，對佛教的弘揚，乃因此而開展，這可以說：「他本無心爲教主，誰知教主迫人來！」而師門誼重，尤足欽羡，我們祇有低首膜拜了。

以上佛藏，「王舍城結集」以後，約經百年，又因東方僧伽（佛教僧團）所行十條規則，有人認爲非法非律，乃由西方僧伽長老耶舍比丘領導，在吠舍離，重新結集一次，老少會衆約有萬人之數，會期八月之久，會中並將正統派的達磨（經藏）和毘尼（戒律）部重新誦讀，以其人衆，後世就叫他們「大衆部」，稱他們的學說作「軌範師說」（含有師資學者的意思）。但正統派的比丘衆，多數爲長老耆宿，互不相下，這是當時印度佛法分派的先河。後世對於東方正統的大衆們，就稱謂「上座部」，內含有德者的意思。

此後又百餘年，阿育王大護法當政，篤信佛教，卽位十八年後，遴選學德兼備的聖僧一千人，以帝須爲上座，在華氏城，又有一次佛經的集結。這是南傳佛教記載，但其經本無存。

後來迦膩色迦王朝，又選拔聖衆五百人，假座迦濕彌羅的環林寺，再行結集一次，以世友爲上首，所集佛典，先造優婆提舍十萬頌，註釋經藏。次造毘奈耶毘婆沙十萬頌，註釋律藏。後造阿毘達磨毘婆沙十萬頌，註釋論藏。前後經過十二年的時間，這纔功德圓滿，結集完畢。中國大藏經中，尙保留有前述經典譯本的阿毘達磨大毘婆沙論。

又據西藏佛教的傳述，在迦膩色迦王時代，於闍爛達羅寺，召集五百羅漢、五百菩薩、五百學匠，重令結集三藏。因百年以來，佛學分派的十八部之間，各有所持的主見，其中六十三年來，諍議尤烈，由於此次的結集把十八部異執都承認爲眞正佛教，並且輯錄了從來沒有記述的三藏經典，已經記錄的，又重加校訂。

自佛弟子結集佛教經典，經、律、論等三藏，成為佛教學說的法庫總滙以外，在三藏經典中，其實也已大部分包羅收藏了印度教哲學，和一般學術上的思想體系。我們如果認定大藏經為純佛法或佛學的，那就未免太過拘囿或小見了。不管佛經三藏的結集，在佛教史上有如何的諍議，我們至少可以確信自佛滅度一百年後開始，直到四百年之間，佛的遺教弟子，因所執持的學說，及師承或見解的異同，漸已分化而有派別，初由大衆、上座兩部，經過三、四百年來的演變，就形成了當時印度佛教的部派，歸納起來約有十八至三十餘部之多，其學派名稱有如下列：

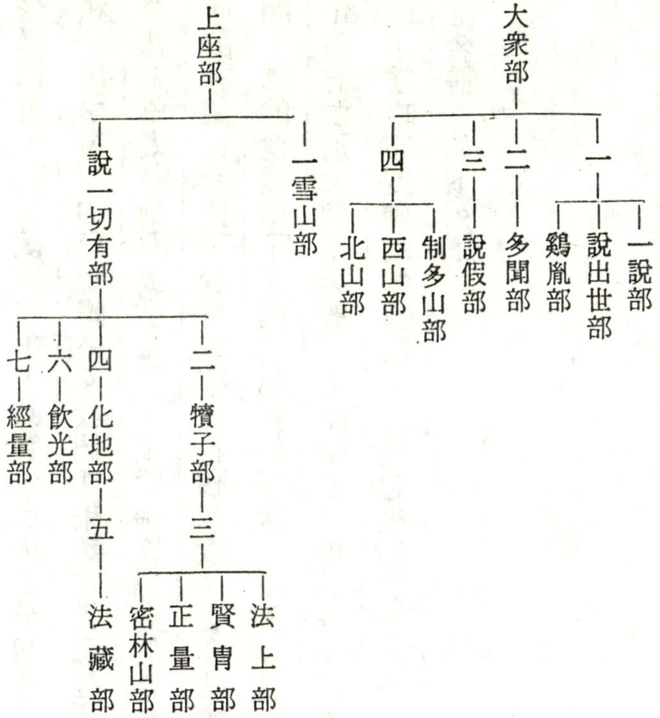
大衆部
一
一說部
說出世部
鷄胤部
二
多聞部
三
說假部
四
制多山部
西山部
北山部
上座部
一
雪山部
說一切有部
二
犢子部
三
法上部
賢冑部
正量部
密林山部
四
化地部
五
法藏部
六
飲光部
七
經量部

大藏經中有異部宗輪論，較有詳說。但此二十部派的佛學，相傳皆指爲小乘佛教的範圍。玄奘大師嘗予歸納判定以爲六宗。以後或多或少，代有損益，我們無可否認中國佛教的分宗，無論直接間接，難免也要受到印度各部派學說的影響，那是必然的事。此外，佛教學說，又有大乘、小乘、顯教、密教之別。主小乘者，認大乘爲非佛說。主大乘者，認小乘亦同外道。南傳佛法，力護小乘，北傳佛教，大、小並重，但以大乘爲主。尙顯教者，認密教爲魔說。重密教者，謂顯教不究竟。餘如性宗主般若，相宗主法相，學派不同，傳承各異，以致糾纏不清，諍端時起。譬如太陽黑子，雖有週期的活動，無損本來的光明，但是終歸有美中不足的遺憾。

佛教興於印度，但是到了西元第八世紀的中葉，中印度的佛教，業已式微。唯南、北印度，尙有傳承。此時東土佛教所盛行於中國者，則又根基穩固，其全部佛經的迻譯十九已成中文了。印度佛教既衰，固亦予其原有的「婆羅門教」以復興的新機；其他異說，又似復萌。西元十二世紀，因回教的入侵，佛教寺院多被摧殘，教徒又多退避，去到南印及西藏等地。於是印度本土，佛教完全絕跡，僅有史蹟的殘留，聊供後人的憑弔。至現有的印度佛教，則又為十八、九世紀以後，向所輸出於他國的佛教文化，倒流極少部分還於本土，自然已非昔日的眞面目，而且神佛不分，夾雜許多邪說。二十世紀中葉，第一次世界大戰後，已有中國僧人前往印度，專為建立佛教寺院的，這就可見一斑了。唯現世史中獨立前的印度，其國運的遭遇，為帝國的侵略，殊與佛教無關，特為附帶提出，以資辯證。有人推到佛身上，那是歷史知識的錯誤，非常可笑。

結　論

世人以言宗教哲學或宗教歷史者，如所週知，佛教是釋迦牟尼所創立，從宗教的立場來說，他當然是教主。從哲學或學術的觀點來說，有許多人認爲他是一位救世主義者，大哲學家，大教育家，並不祇是狹義宗教的教主。而且一般觀點，認爲佛教是無神論者，或汎神論者，各種異說，矛盾得相當有趣，在此不須討論。依據佛學本身的立場，梵文所稱的佛，全稱應該是佛陀，中文意譯覺者，它具有自覺（得大智慧解脫的自利之道）、覺他（覺世牖民的利他內涵）、覺行圓滿（自度度人福德兩皆圓成）的諸義蘊，所以不能單用意譯，簡稱覺者，爲了涵攝全義，故用音譯統稱爲佛。在佛教經典上，他有世尊、如來、天人師、一切智、佛等等，通常十個或更多的別號，但除世尊一名外，大部分的稱謂，都充滿了慈悲救世，和師道尊嚴的格調，的確少有唯我獨爲萬物主的觀念。以上簡介，大致已將印度文化的背景，和釋迦佛住世的史蹟，有所交待。玆就其時代環境、人格思想及修道弘化等公案，試作客觀的研判，並爲如下的結論：

一、縱觀人類歷史，凡是具備大仁大勇聰明智慧的人物，他們所抉擇的人生道路不外兩條，那就是不爲英雄，必爲聖賢。即生完成赫赫事功，名揚千古的便是英雄。英雄事業，充其量作到一個撥亂世反之正，登生民於衽席，可予人類社會一個短暫時期的安定或昇平，因而爲王稱帝，儼然一世之雄。但歷史的興亡，朝代的更迭，所謂帝王事業往往遺患無窮，因爲權勢移轉，看似熱鬧的序幕，實係反爲悲哀的下場，到頭誤人誤己，畢竟無一是處。反之，聖賢事業，也許寂寞一生，却能永遠賦予人們以身心的安泰。而且整個人類問題，種種紛紜複雜，如果僅從政治權力以求底定治平，那祇是世俗的觀點和天眞的想法，因爲人心的臧否，關涉政治的興衰，一治一亂，循環往復，似是歷史的定則，永無究竟的答案。何況除了「民吾同胞」，還有「物吾與也」的宇宙衆生，其問題的存在，也應一概解決。所以從哲學的立場看，我們必須荷擔如來的家業，要尋求眞理的歸趣，以求徹底解決整個人生社會的問題，並了解宇宙生命的眞諦，這才是弘濟萬世，普被衆生的基本事業。

釋迦當時的印度，由於文化思想的紊亂，政治社會的不安，以及戰爭的擾攘，人世的悲哀，在在處處，無不觸目驚心。他以天縱的睿智，和英雄的雄姿，大可繼承王業，開張國運，成爲一代雄主。但他看清了人性的癥結所在，要求對治解救，不在事功的憑恃，而在德業的化被，所以毅然薄王業而不爲，離塵出衆，任道求眞，成爲衆生的教主，具足人生的光輝。他以捨棄小我，成全大我的救世精神，現身說法。大聲疾呼著「衆生平等，佛我一如」，極力破除印度人頑固的階級制度，和人類唯我自私的觀念，這是何等的懷抱？何等的氣度？可是他畢生的行教說法，但求衆生自性自度，並非「好爲人師」，企以教主自尊。與其不取，人皆予之，他寂滅後，佛弟子衆，竟也尊之爲導師，奉之爲教主，這與他無我的初衷實在不相干，也是實至名歸。雖然聖人無常心，以百姓之心爲心，因爲他衹有施予，無所忮求，所以千秋萬代之後，決無時間空間的限制，凡日月光臨的地方，永遠有他慧命的子孫，爲之頂禮膜拜以至無窮。從他個人出身的環境來說，在英雄與聖人的分界線上，他永遠是先知先覺的前驅者！

二、以師道自任，啓示衆生皆具佛性。從宗教的立場來說，在經典記載中的教主釋迦牟尼，如何累刼修持！如何萬德莊嚴，以致受生成佛！種種神奇，歷歷如在，誠有不可思議者。若以現在世紀或未來世紀的眼光來看，除非把他永遠範圍在宗教門牆以內，供人崇拜，否則，反而堵塞人們進入佛門的通道，難免種種隔碍。我們研究佛的生平，便知他也是人，不是神。他由人至於超人而成佛，也從人位許多前因後果的教養完成，並非生知之聖，不待學而後能。而且他的斷愛出家，棄王位以求道，也是經過娶妻生子的人生歷程，他對父母，也力行人子應盡的孝道，甚至，他也說過，孝順父母，等於供養諸佛而無異。在中國的佛教，更着重「報四恩」，即所謂報父母恩、國恩、衆生恩（社會恩）、佛（師）恩的說法。他以師道自任，揭示由人性的昇華而至於超凡入聖的成佛作祖，要從人本位做起，如果人位的品格不備，希望一入佛門，便可得道證果，永為天人師表，那是非愚則妄，決非佛教本分。他揭示一切衆生，皆具佛性，迷則為凡，悟則成聖，聖由自悟，不從他得，故必以徹悟的覺性，求證本際的眞如，然後可與宇宙心物的生命根源，同具寂靜，到此可了生死，可齊物我，這便是無上妙勝的如來佛境。

第三章

中國佛教的傳播

第一節　佛教初期傳播的情形

一、釋迦佛與阿育王前後的佛教

釋迦牟尼自創建佛學的教化以來，推開經典上純粹宗教性的記述之外，但從事理的衡裁以求史案的解答，對於當時佛教傳播的實況與其勢力範圍，或者佛陀影響所及，可能和擁有的地區與人數，那是很難確斷的。我們可以認定，大概當他住世，和示寂後的一、二百年間，佛教傳播所及的區間範圍：大約北到喜馬拉雅山的南麓，如尼泊爾等地；南至頻闍山脈；西到摩頭羅；東到鴦伽國。大致不出中印度與東印度之間，尚未超過恒河流域以外。但是親受佛陀教化的，大約在數萬人上下，這就古代印度人口數字的比例來講，可謂聲勢浩大，足夠轟動一時的了。

佛教眞正的弘揚開展，除了佛弟子們的努力宣化外，仍須仰仗政治力量。在佛滅度以後的二百年間，印度出了一位歷史上的名王，他的英雄事蹟，可與亞歷山大帝相抗衡的，便是世界史上有名的阿育王，同時他又是一位最虔誠的佛教徒，即佛教術語所謂的「大護法」。有了強力的政權作後盾，隨着軍事勢力的推廣，佛教的教化，自然就普及了。阿育王在位的時期，曾經在首府華氏城的鷄園寺，會集比丘一千衆，以目犍連子帝須爲上首，重新結集過佛教經典，就是佛教文化史上著名的「華氏城結集」。而且相傳他曾造作很多佛的舍利塔，甚至有神話般的傳說，講阿育王所造的舍利塔，後來被散佈到中國，舉如浙江、四川等地幾處寺院叢林的大塔。至今也仍附會傳說是從印度飛來的，所謂「阿育王塔」，這當然是宗教心理的情感作用所使然，就不必深加追究了。

如徵引史實，在阿育王所建立第十三巖面的敕文上，便有這樣的記載：「阿育王卽位第九年，征羯䮫加……既克羯䮫加，乃篤護正法，歸依正法，將弘播正法之敎。……」又云：「王所領住於山林之蠻族，天憐愍之，願彼歸依正法……，蓋天爲一切有情安樂歡喜故，此最上之勝利，卽正法之勝利也。正法之勝利，既行於王之領域，又及於鄰邦六百由旬之遠。如耶婆那（Yavana 卽希臘）王恩提約科（Antiyoko）與條蘭馬亞（Turamaya 卽 Ptoemy）恩底開尼（Antikine 卽 Antigonas）馬加（Make 卽 Magas）亞歷斯大（Alikasadra 卽 Alexander）四王所居……皆由阿育王宣說而隨順正法。」

根據這個敕文的記載，可見阿育王時代的佛法，業已盛行，傳播到了印度以外的歐、非各國。例如：文中所說的恩提約科，便是西里亞王恩提科斯二世，條蘭馬亞，便是埃及王脫來米二世。恩底開尼，便是馬其頓王恩底哥拉二世。馬加和亞歷斯大，便是埃比羅斯（Turfan）王亞歷山大。敕文的後面又記載着曾派遣宣敎師去到西里亞、埃及、馬其頓和埃比羅斯等國，其傳播的盛況，如此可見。又根據善見律毗尼沙卷二的記述，當時所派遣宣教師的國家，便有罽賓犍陀羅吒（加亞米亞、卑西亞瓦）、摩醯娑慢陀羅（南印度的孟索爾）、婆那婆私（拉齊布達臘）、阿波蘭多迦（本齊亞布西部）、摩訶勒吒（賀壁及其南方）、臾那世界（阿富汗北部及東部）、雪山邊（尼泊爾國）、金地國（緬甸沿岸）、師子國（錫蘭）。

阿育王以後三、四百年，佛教又漸漸盛行於中國、阿富汗、錫蘭等地，印度本土，反而逐漸衰落。西元前第二世紀間，婆羅門武將富奢密多羅，却篡代了孔雀王朝，大滅佛教於中印度，火燒寺院，殺戮僧尼，迫害摧殘，不可勝計。但北印度的佛教，仍然屹立如故。不久，中印度的佛教，又因劫餘僧衆的努力，稍稍加以恢復，可是內部分裂却發生了部派之爭，大體形成至於十八部之多。開展錫蘭的佛教，實由阿育王時代開始，以後明王相承，便成爲他們的國教了。西元前二世紀，脫達加門尼王，開始建立佛塔，紀元一世紀，紀瓦達加門尼王，興築無畏山精舍，又書寫口傳的巴利文三藏。後來諸王，也都作了許多佛教的事業。

繼阿育王之後，約當西元第二世紀間，印度迦膩色迦王興起，佛教又復昌盛。迦膩色迦王本屬月氏的後裔，後來漸次併吞西北印度及中印度的一部份。自信奉佛教後，發願請世友、馬鳴、脇尊者諸有學菩薩，聚會於迦溼彌羅城，結集經典，歷十二年而成。唐代玄奘大師留學印度，歸國所傳的經、律、論三藏，前已言之，大多是此會的結集。此後第二、三世紀間，龍樹菩薩崛起於南印度，大宏佛教。第四世紀中，有無著，世親兄弟倆的弘揚彌勒學派，闡述唯識法相之學，名噪當時。中國留學僧晉法顯大師，就在西元四百十一年間，早於玄奘之前，到達印度。第六世紀中，有陳那、護法、清辨等論師，他們弘揚唯識、空宗佛學。唐初玄奘大師在此諸師之後到達印度，求學於戒賢、智光兩法師，及勝軍居士處，但都淵源於唯識、空宗這兩派的學說。同時印度有菩提流支、菩提達摩、眞諦闍那崛多、達磨笈多、法藏（賢首大師）等名僧，都來中國傳教，翻譯經典也很多。第七世紀末，中國有義淨法師，留學印度，滯留南海諸國，返國後頗有著述。第八世紀間，印度佛教漸衰，此時印度有善無畏、金剛智、不空三藏等，到中國弘傳密宗教法。到了十二世紀，回教進入印度後，佛教徒多避地在南印度及西藏等地，從此印度本土佛教日益衰頹。

二、佛教傳入中國的初期——漢末、三國時期

中印文化的交流，早在秦漢初期，已經有了跡象，佛教史乘著作所稱的秦始皇時代，囚禁外國沙門室利防等十八賢者，入夜被丈六金剛破獄救出的記述，一般學者的考據，認爲並不可靠。事實上，古代印度沙門的稱呼，並不限於佛教徒的比丘，這些人或者就是婆羅門教徒與瑜伽術士之流，這是非常可能的事情。因爲秦漢之間，道家方士

的法術，多半與婆羅門教或瑜伽術有互通之處，所以可以旁徵中印文化交流的時期，可能遠較佛教傳入爲更早，當然那是初期接觸非常稀少的事。佛教的傳入，舊史著錄，都以漢明帝時代開始，因明帝夜夢金人，遣使蔡愔等十八人，西去求經，到大月氏國，便遇迦葉摩騰、竺法蘭兩位法師，迎歸洛陽，安置在白馬寺，並譯出四十二章經，藏於蘭臺石室，是爲佛教傳入中國的開始，以現代學者的考證，人言各殊，認爲這是一件不可靠的疑案。最足徵信的記述，而且有史料可考的，當在漢末和三國時期。漢桓帝時，有安息國沙門安世高來華，月氏國沙門支讖到洛陽，各譯經數十部，共有一、二百卷。靈帝時，印度沙門竺佛朗也到洛陽，極力提倡佛教，主張與中國文化調和的名著，牟子理惑論，便是這一段時期的著作。此後沙門康僧會，月氏籍的名士支謙，支讖，支亮三位佛教居士，都是學問淵博，爲朝野所宗仰，他們專門弘揚佛教的學說，先後居留在東吳，爲孫權政府的上賓。

他們當時都通曉中文，極力從事佛經的翻譯工作。曹魏在嘉平年間，因印度名僧曇摩迦羅與曇無德的倡導，已開始建立中國的佛教制度，以及出家受戒的規範，這才是佛教正式傳入的開始。

在漢末與三國期間，佛教經典與初期佛教的規模，雖然源源傳入中國，但與國內固有文化的思想，和儒、道兩家的學說，顯然有過激烈的競爭，這便是中國文化，遭遇外來思想的刺激，引起思想史上軒然的大波。而民間自由信仰佛教，却日益增盛，知識份子，也逐漸在將近百年間，接受了佛學思想，因此便形成了兩晉時期的玄風——玄談的風氣，致使南北朝六代之間，將近兩百年來，中國文化和政治的命運一樣，都在支離矛盾中，度過漫長的歲月。從歷史發展的角度來說，那個時期並不是佛教文化影響中國歷史局面的轉變，實在是因爲政治的轉變，和戰爭的影響，使佛教文化，變成那個時期中國人的應時禮品。這在民間和知識份子（包括朝廷與士大夫）階層間，各有一種潛在的因素。歸納起來，約如：㈠民間的信仰因長期戰爭的結果，民不聊生，人事的努力，解決不了饑饉苦難的生活。天道既不足憑，生命也無保障，恐怖、悲觀、厭世的情緒充斥。正好在這個時候，佛教思想洶湧輸入，生前身後，善惡業力，促成三世因果的報應，和天堂地獄間六道輪迴的傳說，使人們更相信命運的安排，是由於前生業力的造就。因此在亂離的世局中，很快傳偏了佛教的觀念，人人信仰它可得身心的自慰，把佛與菩薩原義，就一變爲與傳統神祇的信仰相同了。㈡知識份子的皈依自東漢黨錮之禍以來，漢初儒家傳統的學說，受政治和社會風氣的影響，使人不能滿足和信服。魏晉以來，知識分子的士大夫們，都紛紛尋覓思想的新方向，追求命運的象徵之學，進入探索哲學的範圍。並以曠達思想，崇尚個人自由，逃入玄談的領域。其所宗奉易經、老子、莊子所謂三玄之學的思想，恰在此時，與佛教傳入的般若性空學說相遭遇，因此一拍卽合，更是變本加厲，便形成了遯世而逃入佛法的風氣，尤以士大夫階層，所謂知識分子的名士爲然。基於上述兩點因素，使佛教在中國，普遍的傳佈開展，但眞正使佛教在中國奠定基礎的，還是靠北朝石勒時代的印度名僧佛圖澄，和姚秦時代的鳩摩羅什，以及中國名僧道安、慧遠、僧肇等數人的力量，才使佛教在中國文化中，豎立了不拔的根基。

三、魏晉南北朝時期的佛教

從歷史的發展來看，每逢時衰世亂，人心頹喪的結果，不是傾向現實，追求奢靡的生活，便是逃避現實，追慕高遠的境界。我們試看魏晉南北朝時代的中國，由於政治局勢的動盪不安，導致社會風氣的頹喪，舉如：外族的侵凌和思想的轉變等等，無處不在刺激人心而使走向積極或消極的路道。正當北朝石勒稱王時，嗜殺好貨，野蠻成性，而印度名僧佛圖澄，便在此時進入中國，在後趙石勒的區域，宣揚佛教的慈悲教化。佛圖澄除了宣揚教理以外，唯一特點，就是曾顯示了許多神通，不但使石勒信仰而減少殺機，同時也使很多人相率信服不已。並且他又傳授佛學修證的方法，提倡安般守意（安靜、調息、守意入定）的禪定法門，使人們在相信佛教學理之外，又有確實修持的方法可循，與中國道家的養生方術，可謂相得益彰，而有異曲同工之妙。在佛學談空說有的口頭理論以外，確有神通、禪定的實證方法和事實可憑，這也是佛教由佛圖澄而大肆開展的最大原因。後來他的中國弟子道安法師，又是學問博洽，兼通世務，德重當時的學者，而中國佛教淨土宗的開山祖師，慧遠大師，也就是他的得意弟子之一。

四、淨土宗的創建

慧遠大師，雁門賈氏子，少爲儒生，博極群書，尤其深通周易老莊三玄之學，並習道家方術，後因避亂南下，從道安法師出家。因愛廬山的風景，便邀約當時名士，如陶淵明、劉遺民等人，會結白蓮社於山中，取佛教經典中的阿彌陀，觀無量壽等經爲準則，專門提倡稱念佛號的南無阿彌陀佛，以祈求往生極樂世界的淨土佛國，便成爲後世淨土宗的初祖。慧遠大師淨土宗的建立，可以說是形成中國佛教的眞正開始，也是佛教富有宗教精神最顯明的一面。歸納起來，促成廬山白蓮社淨土宗的原因，也約有兩個因素。㈠時代的趨勢：因魏晉以來文化思想的轉變，玄談之學，已成弩末，致使求知者的欲望無法饜足。且因當時自由曠達之風，影響社會人心，由頹喪而變成放浪，以使政治更加紊亂，社會愈難安定。結果，逃世思想，日益增盛，知識份子的代表中，如陶淵明、謝靈運等人，到處皆是。慧遠大師以悲天憫人的胸襟，邀約當世知交名士，遯跡山林，也是當時必然的趨勢，例如劉遺民應邀入山的回信中就有：「晉室無磐石之固，物情有纍卵之危。」的感傷詞句，這就可見當時名士遁世逃佛的一般心情了。㈡養生方術的選擇：兩漢、魏、晉以來，除了思想上的玄學以外，方士養生之說也大行於世，煉丹藥以求神仙長生不老之術的風氣，已經普遍存在。慧遠法師也學過這些道術，終覺渺茫難憑，不是究竟的方法，於是仍須返求諸己，歸到一心。他深通佛學性空的般若之理，而且學術傳承自名匠佛圖澄和道安法師的嫡派，深知後來求得實證的困難，便提倡精神超越昇華的念佛法門，可以概括上中下三種器識的修持。即使此生不了，也可使靈魂得到超脫的境界。由於淨土宗的創立，使佛教在中國，確定了宗教的精神和形式，而且一直到了現在千餘年來，一句阿彌陀佛，已經變成中國社會的流行口語，不管是精心的修持或脫口的稱引，到處都可聽到國人所說的阿彌陀佛了。

五、鳩摩羅什與僧肇

姚秦時代印度名僧鳩摩羅什經西域來中國，大事翻譯佛教經典，弘揚般若佛學，這是溝通中印文化思想，開展佛教文化的最大關鍵。他的出家弟子中，如僧叡、僧肇輩，都是當時中國的博學才子，他們師弟之間的學問和風度，影響于南北朝的學術界至深，最爲當世所仰槃。尤其僧肇之著肇論，融合老莊孔子的思想，倡般若無知論，涅槃無名論等，並爲中國哲學思想史和文學史上開創了千古的奇局和不朽的名作。道安慧遠師弟的佛學論著，受羅什的影響也很大。羅什的來華，是中國文化史上的一段奇蹟，這個奇蹟，說來却很辛酸。前秦苻堅時代，爲了仰慕羅什的學問，不惜調派大軍，並遣將軍呂光率領西征龜茲，後來呂光聞苻堅兵敗，據姑臧自稱凉國，羅什爲呂光所得。姚秦時代，呂隆來降，才使羅什進入中原。姚興便迎居於逍遙園，事以國師之禮，翻譯佛經三百餘卷，參加譯事的約三千人，都由姚秦政府供養。從此名僧輩出，佛教聲望日隆。由羅什東來譯經的經過情形，可得如下四個結論：㈠爲了一位學者，不惜派大兵去征滅一個國家，輾轉爭得，這是有史以來的一件大事奇案。從好的方面看，這是尊重學術和師道的光榮。但從另一面看，也祇有文化淺薄的人，才會做得出來，因爲這也可以說是武力的刼持。不過千古以來，知識分子多半自相輕蔑，眞正尊重知識分子而能愛才惜才的，還是一般所謂非知識分子的人，這差不多是歷史上的定例。㈡羅什的譯經事業，是由一個政權所支持，才有這樣偉大的成就。但他以外國人學通中文來作主筆，由中國名士才子的相助，使佛經的翻譯，不但爲佛教建立了特色，而且也爲中國文學的體裁，開創了佛經文學的另一面目，這些經文，便是當時創作的語體文學，祇是現代人讀來，又變成古文了。㈢在羅什以前的佛教傳播，大多靠神通來顯化，到羅什東來的時期，才使佛教哲學，與儒、道兩家分庭抗禮，變成中國文化學術的一派巨流，以後才有儒、釋、道三家之學，構成中國文化全貌的總體稱謂。㈣因羅什東來的影響，出家爲僧尼的人數增加，品類不齊，頗多芋濫，才使姚秦政府，設立僧正職位的僧官，專門管理僧衆。以後便因襲成隋唐以下的歷代僧官規制，猶如現代的宗教司。

六、道生與涅槃佛性

在這段時期，佛教文化的傳入，都從西北一路而來，中國文化的中心，也都在黃河南北一帶，南方的學術思想，仍逗留在老、莊、孔、孟的範圍裡。而且佛經翻譯還不具全，例如涅槃經在此時，只譯了一半，意謂極惡重罪的衆生，不能成佛。當時道生法師，參悟哲理，便認爲這是義有未晐而並非完全的佛學，自倡極惡重罪的衆生，也具有佛性，到了悔罪自新時，便可成佛。並且首倡「頓悟成佛」的意旨，因此被佛教徒們群相攻擊，不能在北方立足，便南來隱居虎丘山，自爲石頭說法。所謂「生公說法，頑石點頭。」這便是道生法師的講經故事。後來涅槃經全部翻譯完成，才證明他所說不錯。道生這種思想的根源，實在也由周易、老、莊的三玄之學所開啓，這也可見當時佛學思想之與中國文化，概可相互引證發明已至融通之境了。

第二節　佛教的鼎盛時期

一、隋唐時期的佛教

由漢末魏晉南北朝以來，學術思想的風氣，一反兩漢的樸質，普遍趨向於形而上的追求，佛教和道教的宗教學術，也便在這個時期，日益發達。儒家學說，依違佛道之間。復因南北朝以來帝王政權的提倡，佛教受到朝野的尊崇，無以復加。但由兩晉到隋唐之間的佛教，大半仍隨印度佛教方式，正受中國文化的洗煉，在漸漸蛻變當中。到了南朝梁武帝時代，因他對宗教信仰，特別有興趣，所以對佛、道兩教，也都並存信奉，不過對佛教更有偏好，南朝的佛教寺院林立，凡名山勝跡，多半有寺廟的建立，所以唐人杜牧江南春的題詠裡，便有「南朝四百八十寺，多少樓臺煙雨中」的名句。可是這還祇是指大江南北附近的佛寺而言，至如黃河南北的佛教建築，尙不包括在內。與其說南北朝的文化思想，是玄學的時期，毋寧說是宗教的文化思想時期來得恰當。在梁武帝和北魏武帝時代，印度佛教的教外別傳禪宗第二十八代祖師菩提達摩由海道到達廣東，東來中國，與梁武帝一度對話不合，便渡江而北，隱居在嵩山的少林寺，面壁九年，這便是禪宗傳入中國的開始。自初唐以後，禪宗大興，使佛教一躍而變爲純粹中國文化的佛教，慧遠大師的創立淨土宗，和達摩的傳入禪宗，可以說是兩件大事因緣。因爲學術思想，和政治因素的交錯爲用，使南北朝六代以來，中國的歷史文化，陷在一個非常紊亂的局面。因此隋唐之間，有文中子——王通的講學河汾，綜羅洗刷儒、佛、道三家的學術思想，開創初唐以來的唐代文化。這個時期，隋有智顗大師正式創建了佛教的天台宗，以禪那的止觀爲佛教實證的方法，用三止三觀的體系，統攝全部佛學教理，開始分科判教，對佛學傳承，作第一次批判的整理。智者大師著有摩訶止觀一書，應是中國佛教第一部佛學導論或概論的巨著。後來宋代永明壽禪師等所著的宗鏡錄，算是第二部佛學導論的巨著。

1. 唐代建國的初期

以唐太宗的英明雄略，輔以初唐開國時期的文武將相，大多都是博識之才，加以接受了六朝以來的政治經驗和慘痛教訓，對於宗教態度，無論爲佛教、道教，甚至景教、祆教，都一律優容，任由全國上下，自由信仰。在政府的體制裡，僧有僧正，道有道籙，等於已經設立了各個宗教的專門管理部門。這時在中國文化史和佛教史上最大的一件大事，便是玄奘大師自印度留學回國，唐太宗爲他設立譯場，集中國內學僧與文人名士數千人，參加佛經的翻譯工作。太宗一面盡力提倡宗親教主的道教（道教奉道家的老子爲教主，老子姓李，與唐同姓），一面也篤信佛教的宗旨，而且對玄奘大師，敬愛有加，幾次勸他還俗出任宰輔，都被玄奘大師所婉拒。因玄奘大師唯識法相的弘揚，使印度後期佛教哲學，和大、小乘的經典，也充分的播下了中國佛教和中國文化的種子。同時因法藏（賢首）大師的抵達中國，佛教又有華嚴宗學說建立，更爲興盛。隨天台宗以後，復因華嚴宗的觀點，對全部佛教教理，有第二次的分判。接著道宣法師極力興起律宗，佛教戒律的確立，和中國佛教的規範，便從此奠定，基礎穩固。隨之而來，三論、俱舍、成實等佛教宗派，也欣欣向榮，爭放奇葩，各自發揚它的門庭學系，形成中國佛教的十宗教派，有如附表：

宗派	印度宗師	中國宗師	創立時期	所宗經論	宗旨
淨土宗	馬鳴、龍樹、世親菩薩等。	慧遠法師	東晉時期	以無量壽經，觀無量壽經，阿彌陀經及往生論，大乘起信論爲主。	以一心念佛，往生西方極樂世界爲修證法門。
律宗	以佛說律藏爲主，故以持律第一優波離尊者爲始祖。	從竺曇摩迦羅（此云法時）之羯磨受法，爲中土受戒之始。	曹魏嘉平二年	以四分律五分律十誦律等爲主。	兼攝大小乘律學以持戒證聖爲宗旨
天台宗		慧文禪師及其弟子智顗大師所創	北齊、隋時期	以妙法蓮華經爲正依，大智度論爲指南，以涅槃經爲扶疏，大品經爲觀法。	以一乘成佛爲宗旨，三止三觀之止觀爲修證法門。

成實宗	師子鎧	鳩摩羅什法師弘揚之	姚秦弘始十三年	採小乘諸部最勝教義及訶梨跋摩所作成實論爲主。	以成實論爲宗旨，以二十七位法攝賢聖，俻證之階梯。
三論宗	龍樹菩薩	鳩摩羅什	姚秦時期	以中論、百論及提婆菩薩所作之十二門論爲主。	破眞俗二諦之執，顯空、有、不住之事理。
俱舍宗	世親菩薩 安慧論師	眞諦三藏 玄奘法師	陳文帝天嘉四年眞諦三藏譯舊本俱舍、唐太宗貞觀七年玄奘譯新本俱舍。	宗四阿含經等，並以俱舍論爲正依，另以婆沙論、阿毘曇心論、雜阿毘曇心論等爲主。	本宗以玄奘所譯世親菩薩所作俱舍論爲宗旨，立七十五位法以攝心色等等事理。
禪宗	迦葉尊者	菩提達摩	梁隋時期	楞伽經、金剛經	以教外別傳、不立文字、直指人心、見性成佛爲宗旨。
華嚴宗		杜順和尚所創，賢首(法藏)大師弘揚之，故又名賢首宗。	陳隋時期	以華嚴經爲主	以華嚴經四法界，十玄門之學爲宗旨。
法相宗	彌勒菩薩、無著菩薩	玄奘三藏法師盛弘於唐太宗貞觀年間中土		以六經十一論爲主，六經爲：華嚴經、解深密經、如來出現功德莊嚴經、阿毘達磨經、楞伽經、密嚴經。十一論爲：瑜伽師地論、顯揚聖教論、大乘莊嚴經論、集量論、攝大乘論、十地經論、分別瑜伽論、辨中邊論、二十唯識論、觀所緣緣論、阿毘達磨雜集論，又有以五經十三論爲主之說。	明萬法唯識之妙理
密宗	龍猛菩薩	又有東密(由中國傳入日本)藏密(西藏密教)之分，唐時善無畏、金剛智、不空三藏東來弘傳，蓮花生大師入西藏弘傳。	初唐時期	以大日及金剛頂兩經爲根本所依	亦稱眞言宗，立十住心統率諸教，建立曼荼羅，身口意三密相應，即可由凡入聖。

2. 禪宗的改制

由於初唐時期文化思想的博厚雄渾，佛教學者的名僧輩出，他們都以才堪大用的資質，從事於弘揚宗教的事業。使中國佛教眞正開展的，應該歸功於唐代。到了唐高宗與武則天時期，正好當佛教學僧們鑽進佛經學術的註疏、譯論的牛角尖，多數佛教名匠的博雅學者，大闡其佛學義理，和相率走近了迷宮似的唯識、法相之學的時候；禪宗忽然崛起，以教外別傳、不立文字、直指人心、見性成佛相標榜，極其適合中國人的簡樸，和唐代思想學風樸實渾厚的要求。而且在徧地都是佛學學者的情景裡，禪宗又出了一位目不識丁的大匠—六祖慧能，在廣東曹溪，對平民社會大肆弘揚不立文字、見性成佛的宗旨。同時還有他的同學師兄神秀，在武則天的王朝裡，被尊爲國師的地位，也大弘其禪宗的佛法。神秀大師的學識很好，他的禪學，是以漸修爲主，因爲唐朝宮廷及士大夫的崇奉，禪學在從政的智識分子中極爲普遍。慧能大師的一支，是以頓悟爲主，因爲他出身平民，不依文字，說法都用通常的口頭語，使高深難懂的佛學，完全脫離酸腐的頭巾氣味，一變而爲純粹通俗的平民哲學，所以禪宗的宗風，便如風行草偃，大爲暢興。他們師兄弟在初唐時期，對於朝野的影響，形成南北上下兩股交滙的巨流，自然要冲激到今後學術思想的轉變，形成別開生面的光華了。

慧能大師一支的禪宗，以後便風行全國，我們儘可強調的說：「請看唐室之域中，盡是禪宗之天下」了。自他三傳以後，便有馬祖道一禪師，和他的弟子百丈禪師二人，毅然改制，把佛教傳入中國以後的規模，一變而爲中國式的叢林制度。當時百丈師徒，被佛教徒們罵爲破戒比丘，極盡詆毀譏評。殊不知以後佛教所以能夠長久傳佈，却全靠這個制度而存在，其規制的流傳，時至今日，並爲國內、外的佛教寺院所仿行。而且這種制度，影響後來中國社會，政治體制，都有很大的作用。禪宗叢林制度的特色，約有四點：(一)改革佛教徒僧衆們以乞化爲生的依賴性，以集體從事農業生產，達到自給自足的經濟制度。(二)集中修持，以導師制來領導學者，從事知行合一的實證佛學。(三)消除刻板的宗教迷信儀式，以身心實踐求證，完成人性佛性的心佛平等，集體教學的目的。(四)以適合中國文化和國情的清規，取代一部分印度化的戒律，建立群衆和個人行爲道德的標準。所以宋代大儒程伊川，歎爲「三代禮樂，盡在是矣」。一般說慧能大師一派禪宗的興起，是佛教的革命。其實眞正佛教的革命性史實，應該推尊於百丈禪師的改制才對。關於叢林制度的研究，拙著有叢林制度與中國特殊社會一書，在此暫不多作介紹。

3. 密宗的興起

唐代的佛教，自禪宗的崛起，使佛教成爲一個純粹理性的宗教，變成中國文化的巨流。此外，還有初唐時期，由北印度傳入西藏地方的密宗佛教；和中唐時期，由中南印度傳入中國的密宗，也是中國佛教史上一大轉變。印度佛教有密宗的興起，依據比較可靠的史實，實在是後期佛教學說，綜合般若中觀與唯識的佛教學理，融合印度固有的婆羅門、瑜伽術的修持方法，所形成的一個兼容古今修證方法的宗派，而且和釋迦佛住世時代所說的修證方法，大有出入，這是一個非常駁雜與繁複的問題，一言難盡。總之：在初唐太宗開國的時期，西藏王弄贊甘波要求內地文化的傳播，祇因唐太宗的宰相房玄齡一念之差，沒有准許他的請求。後來除了答應下嫁文成公主，帶去部分的佛經、佛像，和跟去幾位道士等以外，始終沒有給予文化的教育。一個政治措施的影響，豈但只為「百年大計」，同時也要顧及「遠垂千古」，此于後世史家或讀史者所見得失成敗之效，概可客觀判定的。西藏地方從此便轉向印度，以乞求文化的傳播，最初請了幾位名僧入藏，開始傳播佛教文化，模仿梵文而製立藏文。跟著便有密教大師蓮花生大師的入藏，弘揚密宗的教法。於是西藏便在唐代以後，完全成爲佛教密宗的佛土，而且演變爲政治宗教合一的特別行政區域。歷宋元明清以來，密教在西藏的傳承，始終不衰，中間雖然難免也有內部派別之分，但其全部密教形式，並無多大變更，一個高居雪山北麓的高原，歷一千四百餘年，成爲佛教文化的世外桃源，這也算是東方歷史的奇蹟。西藏的密教，由原始的紅衣士派（紅教），後來又分出迦居爾派（白教）和薩迦派（花派）。到了明代永樂年間，有青海人宗喀巴者，自幼在西藏出家，學成以後，又創建黃教。以後他的四大弟子，歷代都以轉生的傳統，分據西藏、蒙古地區，宣揚教化。在前藏的達賴，和後藏的班禪，都成爲政教合一、以教統政的法王。而章嘉與哲布尊丹巴之在內、外蒙古，也都各自世世轉生以傳續他們的法統。但他們歷代都承受中國帝室的封號而尊爲呼圖克圖（具有大師、活佛等意義）。中國內地，在唐玄宗時代，有印度密宗大師善無畏、金剛智、不空三藏等，世稱開元三大士的傳進密宗的教法，他們都有一部分的神通，對傳教更爲便利。那時除了禪宗以外，最富於神秘色彩，而且有新奇刺激性的，就莫過於密宗的佛法了。所以朝野競習，不久便流行於中國各地。到了元朝忽必烈時代，他尊崇西藏薩迦派的密教大師發思巴爲國師。那時發思巴只是十五歲的少年，不但學問淵博，而且具有許多神異的奇蹟，他仿照藏文爲蒙古製立文字，隨着忽必烈進入中原，便奉密教爲國教，甚至元朝歷代帝王就位，都要先經喇嘛的灌頂儀式，宮廷和民間穢跡，普遍流行，從此禪宗和其他各宗派，也大受影響，因此南宋末代的有名禪宗大師高峯妙，便宣佈閉死關，足跡永不下山了。到了明代永樂時期，認爲密宗是不經之道，便有放逐的措施。因此由開元三大士傳入的密教，便流傳在日本，世稱「東密」。西藏的密教，也因宗喀巴大師的整理，而于全藏建立了黃教的規模。祇有在西康與西藏的邊境，還流傳着原始密宗的教法，這便是世稱的「藏密」了。

二、宋元明清的佛教

1. 宋代佛教儒化的理學

由中唐到五代的一段時期，中國文化的哲學思想、文學風格、藝術和生活，都陶冶在禪宗的韻味中。禪宗本身，也在中唐、晚唐、五代之間，另建立了五家宗派，各有教授的方法，如臨濟、曹洞、雲門、潙仰、法眼等。這時禪宗的學風，也如南北朝的玄談，可以先後媲美，第一流的人才，多半逃禪入佛，當然這有許多政治與社會因素的背景，才形成那個時代的風氣。歐陽修定五代史，認爲五代無人物。王安石却認爲他的觀點不對，說是五代的人才，都入禪宗的網羅之中，這倒是有相當的理由。因此到了宋初開國的時期，上有宋太祖趙匡胤，下有宰相趙普和後來范仲淹等的提倡，有宋一代的儒學，一變而有理學五大儒等的興起，這便是說明一個文化思想傳統，積久成弊的反正。宋代的理學家，接受唐代韓愈、李翺等的啓發，經歐陽修等的領導，突然崛起於千餘年之後，號稱直承孔孟心法，在漢唐的儒學以外，別樹一幟，不須諱言的，那是受到禪宗的影響，並也滲入老莊思想的成分，這才構成一番宋儒的面目。換言之：宋代的佛教，已由佛而入儒，因禪宗而產生理學，這是中國文化史上必然的演變，也是佛教文化與中國文化融會的成果。當漢末、魏、晉、南北朝、隋、唐、五代以來，佛教雖然已成爲中國的佛教，但儒、釋、道三家的互爭學術地位，與三家同源的思想，在歷史上，一直沒有停止它的運動。到了南宋末期，禪宗大師們大談其儒家學理，而且佛學儒化，儒學佛化的跡象，已經非常明顯，所以宋代理學的產生，可謂由來已久，祇是到了五大儒等手裡，才算正式開始而已。

2. 元代的密教

因西藏密宗勢力隨元朝軍事統治力量的推展，普遍滲入全國各地，據有宗教的特權，喇嘛們幻想政教合一的局面，全國各宗派的佛法，都受到極大的斲喪，從此各宗佛教，元氣大喪，幾至一蹶不振，祇有禪宗在叢林制度的卵翼下，尙能存其微弱的傳統命脈。淨土宗因其平易近人，始終還能存在，而爲民間普遍的信仰。

3. 明代的佛教

明代承元朝的餘緒，到永樂年間，雖然放逐密宗，但因兩宋以後，理學家的思想，已深入知識分子的階層，又因朱明政權提倡儒學與朱註經疏，定爲士大夫進身的範本，在明代三百年間，作爲佛教唯一權威的禪宗，也難與理學相抗衡，祇好故步自封，它的傳統也是不絕如縷。晚明垂末，理學家的王學大行，佛教人才衰落，僧衆良莠不齊，難以重振唐、宋時代的聲威。到萬曆時期，先後產生佛教四位名僧，如憨山、紫栢、蓮池、蕅益，佛教界稱之謂明末四大老的大師。他們都是深習儒家學說，後來宣揚佛教的思想，也都是儒佛同參，互爲依傍。憨山大師因名位過高，牽涉宮廷爭立太子的案中，被貶到過潮州，他一生著作等身，門弟子編集其全部著作，自題為夢遊集，其中有佛化言儒的大學中庸直指，佛化言道的老子莊子註等。蓮池、藕益兩位大師專弘淨土。而藕益的著述，也有佛化言儒的論語點睛和周易禪解等書。紫栢因爭立太子案牽連，在獄中坐化。明末佛教的命運，也隨帝室的興衰而日趨沒落。在明清交接之間，還有一位有名的詩僧蒼雪大師，為明末志士遺老們的方外密友，以陰助他們匡復明室的活動。

4. 清代佛教的衰落

清代入關之初，西藏密宗黃教的祖師，第五代達賴，已經在明末時期，潛與滿州有了默契，同時滿州為了牽掣蒙古，聯合滿蒙的力量，也極力崇敬章嘉呼圖克圖。所以滿州入關之初，便册封達賴、班禪，又尊奉章嘉十四世為國師。自順治至康熙，都與蒙藏兩地的密教，有息息相關之妙。順治雖然也從玉琳國師學過禪宗，但並不因此而改變其羈縻喇嘛，推崇密教的政策。無論為政治的需要，或宗教的信仰，初期的滿清，是偏向佛教的密教的。到了雍正年間，因他本人在藩邸的時間，曾經與迦陵性音禪師等相往還，有過一段不算短的時間，專志參究禪宗，自己以為已經大徹大悟，認為迦陵性音的禪是不夠的，倒是推崇章嘉十四世國師，說他是一位眞知灼見的見道者，等到他就職登位的時候，以一代帝王之尊，在深宮內院，領導和尚道士參禪，自稱為圓明居士，也是一代禪宗的大宗師。並且屢下詔書，大弘禪宗的臨濟宗派，廢除明末以來密雲悟禪師旁門的漢月藏禪師法統。命令天下禪師，可以隨便找他談禪論道，決不以帝王的尊貴自恃。同時又下詔書，訓誡和尚們不可學作文章詩詞，要以專心修道為務。據傳中國佛教徒的出家僧衆，受戒時在頭頂上灼燒戒疤，便是他的傑作。因為他信仰佛教，大發慈悲，准許天下士庶，自由出家。但又恐明末的志士遺老，混跡其間，難免掀起匡復的工作，便在出家人的頭上燒疤，以資辨認，同時也是防止亂源的辦法。是有意或無意的作爲，一時還難考證，但是佛教徒出家的濫觴，確從清初開啓厲禁，爲了始階，可謂「愛之適以害之」了。乾隆一代，承皇室傳統習慣，也篤信佛教，他是專修密宗法術的專家，到了他退位爲太上皇時，更加虔誠，臨死前還口唸咒語不絕。嘉慶以後，因歐風的東漸，西洋文化思想，隨教會以俱來，佛教的命運，也隨時勢的推移，而大有轉變了。

結論

佛教傳入中國，自漢末歷魏晋南北朝三百餘年間，可以說爲中國學術思想，注入新的血輪。也可以說引起中國學術思想，經過一段相當長久的紛爭時期。但佛教在中國史上，自始自終，沒有直接影響到政治的作用，在隋唐之間，祇有爲爭取學術地位的師道尊嚴，經過幾次辯論，結果被歷代帝王政權所承認，對於出家僧衆，在宗教地位上，始終以師道相待，彼等對帝王，可以長揖問訊而不跪拜，這個傳統後來一直延續到清末。初期佛教，人才輩出，尤其在隋唐五代宋之間，歷代高僧，都是學識淹貫，淵深通達之士，盛唐之間，有幾次以考試佛學經論，選拔出家僧衆，史稱某某和尚，以試經得度，便是這個制度，所以出家僧衆，素質也比較優良。但在武則天與玄宗時代，政府也曾用鬻買「度牒」（出家僧衆的文憑）來充實財政經費，等於清末科舉功名的捐官或捐監。總之，佛教在中國政治史上，因高僧大德們的注重教化，從不干預政治，所以向來都被優容尊敬，任從民間自由信仰。雖然在佛教史上，曾經在南北朝與唐代，發生過「三武一宗之難」，仔細研究歷史，平心而論，也不全屬帝王的政治見解，或爲純粹的宗教鬪爭，而當時佛教徒本身，實在也有許多問題。例如：唐代名儒韓愈的闢佛，，詳細研究史實，和他留傳文章的思想，與其說他有嚴格排除佛教的觀念，毋寧說是因佛教徒的作風，引起他的反感。當然政治主張的措施，也是很大的因素之一。不過他曾與佛教名僧如大顛禪師等，作方外好友，這也是事實。可見論事論人，極難輕下斷語，不可遽從成見。倒是宋徽宗一度的排佛，的確完全是受了道教的影響。此外，佛教在中國史上，一直與儒道兩家，互相消長，此起彼落，形成中國文化思想儒釋道三家的巨流。

至於佛學思想，尤其是禪宗風格，在中國文化方面的貢獻，影響極大，而且功多於過，美不勝收。例如政治、社會、哲學、文學、建築的藝術、圖繪及雕塑，乃至如中國人的生活藝術，食衣住行，已經到處都充滿著禪佛的餘韻，甚至影響日本更大。略舉學術和文學方面的貢獻來說，自曹魏時代，曹子建因聽梵音，自製「漁山梵唱」，便爲中國音韻學與音樂，別開生面。鳩摩羅什師弟創建佛教文學的風格，南北朝間，因翻譯佛經，高僧們發明韻聲的反切，爲中國音韻學的濫觴，千餘年來，一直沿用不衰，再變而有現在注音符號的出現。梁朝沈約所整理的聲韻學；劉勰對批評文學的偉大貢獻而有文心雕龍的著述，都是淵源於佛教的薰陶。陸羽的茶經；唐代一行大師的陰陽術數；宋代程明道太極圖的發現，都與佛教有莫大因緣。少林寺的武術，輔助宋太祖的平定天下；元朝耶律楚材對醫學的貢獻；劉秉忠的默化元朝君臣，施仁戒殺；明代姚廣孝勸阻永樂的暴戾，這些都是歷史俱在的一般貢獻。有關於藝術的貢獻，舉其犖犖大者而言，如雲岡石窟，敦煌壁畫等，都是舉世皆知的事蹟。總之：佛教因歷代高僧大德學養的優越，使佛學思想，影響中國學術與文學更多，試看歷代文人學者的專集，不與佛教高僧有關係，不滲雜少數佛學思想的，可以說是極其少數的事，且如清代女詩人蔡季玉所作：「赤手屠鯨千載事，白頭歸佛一生心。」的名句，它正透露了過去中國一般知識份子之所蘄致，最高思想的歸趨，和最後人生的境界，也自充滿着禪佛的餘韻。這是具有權威性的代表意義的！

第四章

世界各國的佛教

第一節　亞洲的佛教

世界各國佛教的傳播，除了西方歐、美是間接受中國的影響，南亞的緬甸與泰國，遠在印度阿育王時代，已經有初期小乘佛教的傳入，其餘東方各國，如韓國、日本、菲律賓、新加坡、越南等地，都由中國的關係而傳入佛教。從歷史的觀念來說，韓國最早由中國傳入佛教，其次是日本，茲就其先後傳播的次序，作一簡述。

一、韓國

現在的韓國，舊稱朝鮮，它包括舊史所稱的高句麗、新羅、百濟三國的全稱。當時佛教傳入三國的年代並不一致，而以高句麗為最早，在中國晉代之時，前秦苻堅遣沙門順道，送去佛像經文一批，時高句麗王小獸林，便接受信奉，並創建了肖門寺，居奉順道法師，這是高麗最初傳入佛教，和創建佛寺的開始。過了十二年，印度沙門摩羅難陀，從東晉傳佛教到百濟，百濟的枕流王備加尊禮，創建佛寺，並剃度出家僧衆，正式信奉佛教。再後五十年，才由高麗沙門墨胡子，傳佛教入新羅，但未經流行。百餘年後，到了法興王時代，才開始大弘佛教，創立佛寺，佛教乃得盛行於新羅。

此後百年間，正當中國武則天時代，新羅國文武王滅高麗、百濟兩國，統一朝鮮。那時高僧文曉等，弘傳佛經華嚴宗旨，稱爲華嚴教，名僧大德輩出，佛法大興。到唐玄宗時代，王建興又滅新羅，復稱高麗。那時中國內部，因經歷五代的變化，佛教也受政治影響而衰退，但高麗却承前朝餘緒，佛學大盛，中國佛教的著作，如天臺章疏、華嚴經論，都靠高麗傳歸國內，使中土佛法，賴以再興。

宋初，有高麗沙門三十餘人，來從永明寺智覺禪師習受宗鏡錄，回歸以後，各化一方，這便是朝鮮傳入禪宗的開始。後來高麗王又派遣使臣，向宋朝求取官本的藏經，和他本國原有的前後兩藏經，與契丹藏本，合校刊刻版本，便是後世所稱有名的高麗本大藏經，被公認爲研究佛教經典的善本藏經。朝鮮佛教，也以這個時期爲最盛。

明初，李成桂又滅王氏的新羅，稱國號爲朝鮮，這時道家的思想和儒家的理學學說都大行於朝鮮，佛教反而退落，不如當初。總之，朝鮮的佛教，都由中國傳入，並無特別的自創宗派可言，祇有專講華嚴佛學的賢首宗，與禪宗五家宗派之一的「法眼宗」而已。此外，僅有主張持戒、誦經等以種善因的漸派，也稱之謂「教宗」。另與主張一心念佛，往生淨土的頓派，也稱之謂「心宗」的兩大派別。到了滿清末葉，朝鮮旣被割讓，日本的佛教，便隨軍事政治的力量而侵入，朝鮮本土的眞正佛教精神，從此便衰頹不振。二十世紀以來，韓國的佛教，仍爲日本佔領以後的變質佛教，現在韓國獨立，儘多高明之士，其原來的佛教當待重新規復，並力予振興了。

二、日本

日本佛敎的正式傳入，約當中國南朝梁末時期，在欽明天皇卽位的第十三年。當時百濟國王遣使至日本，並奉贈佛像經論等，從此日本王朝，才漸有崇佛的傾向。數十年後，聖德太子的興起，佛敎才得發展。太子是日本當時的政敎主，建寺弘法，極力宣揚佛敎；他並制定了十七憲法，成爲日本歷代帝室的法典。自著勝鬘、維摩、法華三部佛經的疏述，也是日本後世佛敎的範本，所以素爲日本人所尊崇以爲千載明王。再過百餘年間，到了飛鳥、奈良兩朝、政敎潮趨一致，陸續創建維摩、仁王、金光明等佛會，中國佛敎的三論，法相、華嚴、戒律、成實、俱舍各宗，也相繼在日本興起，這便是日本佛教有名的古京六宗。那時高僧輩出，佛敎大行，慧觀僧正由高麗傳入三論宗，後來又分爲元興、大安兩派。成實一宗，附庸於三論。玄昉僧正由唐傳入法相宗，後又分爲南、北兩寺，互爭優劣。俱舍一宗，附庸於法相。道璿律師傳華嚴宗，鑒眞和尙傳戒律宗，都淵源傳承自中國的佛教。

從此再過百餘年間，到了平安朝代，天臺宗的傳教大師最澄，眞言宗（密宗）的弘法大師空海，相繼而興。最澄大師開始弘揚佛教於叡山，備受王室的信仰，後來又入唐求法，得受天臺、眞言、禪、戒律等四宗的傳承而歸，因此便大張叡山的規模，包羅臺、密、戒、禪四宗而立說，盡量發揮天臺宗的敎義，聲望隆極一時。那時空海大師也與最澄先後入唐求學，從惠果阿闍黎受學眞言宗，回國後，創立東寺，極力弘揚密宗的「金剛」、「胎藏」兩界法儀，聲勢彌盛，因此而開高野山永久的基業。這時日本的佛教，可謂是天臺、眞言兩宗的天下了。

最澄大師所傳天臺宗的內容，包括兼攝佛學的「顯教」和「密宗」兩部。所以又稱爲臺密。後來他的弟子圓仁、圓珍，又相繼入唐求學，臺密宗派更加暢揚，與空海大師所創的東寺密教，所謂「東密」的法門對峙。後來因徒衆的不和，又分爲山門、寺門兩派，從此支流繁多，各自傳授。總之，當時的密教勢力，極爲普徧，不論日本何種宗派的佛法，都帶有這種神秘的色彩，信衆大家都注重祈禱，比較靈驗，佛教便一變而爲神異的、奇蹟的秘密神教，形成大衆社會各階層間的一大勢力，所以流弊百出，有違佛教原旨本色。當時又因日本政治社會變亂不安，影響一般人心，易於趨向厭世，空也上人便在這段時期，努力提倡淨土宗的念佛法門；良忍上人也從而提倡融通念佛的教義，創立融通念佛宗派。日本史上，這時正有源、平兩氏的內戰，他們大事殺戮，弄得民不聊生，所以法然、親鸞和尚所倡依仗他力念佛的教門，也就乘時而興了。

到了鎌倉時代，正當中國的南宋時期，日本佛教的新興教派，擧如：淨土宗、眞宗、時宗、禪宗、日蓮宗等，都應運而起，而且名僧迭出，振興佛教，大暢宗風。淨土法門，由法然上人開始，獨創一宗，他本受學於叡山，後來因仰慕中國善導大師的法系，大倡淨土念佛一門。他的門弟子，英才衆多，所以後來傳下的流派也不少。親鸞上人，便是他的得意高足，他秉承法然大師的意旨，特別主張出家人可以娶妻食肉，認爲唯仗發揮信仰的願力，便可絕對得到佛力的加庇，往生西方極樂世界。因爲他的教義通俗易行，所以能夠深攬人心，獨成一格，因此便名爲淨土眞宗。它的勢力廣被，直到現在還盛行不衰。此外，如一遍上人的遊行唸佛，創立時宗，也是法然大師的門下流派。

禪宗的法門，本來早已留傳日本，但至榮西、道元兩家，才開始建立專宗。他們兩人都曾入宋求法，分傳臨濟、曹洞兩派的禪宗，以直指人心，見性成佛的宗旨相號召，極適合於當時人們的需要，便普遍流傳。因禪宗以了生脫死爲話頭，後來便影響到日本人不畏死的武士道精神，並且對於他們生活藝術的栽花種竹，詩情畫意，都大有裨益，處處以禪意相號召了。

此外，有名的日蓮宗，原由日本本土的天臺宗蛻變而興，爲日蓮上人所開創，乃是主張以唱念妙法蓮花經的經題，便可見性成佛的法門。上人生性豪邁，爲人剛正，以英雄的氣質，行佛慈的敎化，且具精力充沛，畢生以「自度度他」爲職事，所以敎法大行，確爲日本僧史中的特殊人物。弟子人才輩出，益使法門大張。此時新興宗派，相繼興起，古宗、平宗兩地原有的名宗，也受到激發而振興起來，便形成日本佛敎最爲興盛的時代。

再後至吉野、室町時代，正當中國明朝時期，日本佛敎，以禪宗的臨濟宗最爲盛行，京師、關東之間，有五山十刹，二十四流之繁衍。曹洞宗則在東北邊隅僅自苟延而已。日蓮宗因有日蓮上人的倡導，起初傳敎於京都，後來又盛行於東西各地，流派更多。其他如淨土宗，有白旗、名越兩派的興盛。眞宗有蓮如上人的中興運動。但從此便逢「戰國」之亂，佛敎各宗命運，也隨政治的没落，以致瀕於衰敗。

過此以往，到了德川時代，正當中國明淸時期，德川家康統一日本之後，他想憑藉宗敎的力量，以收攬刼餘的人心，所以極力提倡佛敎，因此佛敎勢力，聲威重振，便有各家「學舍」和「談林」等的創設，但此一時期，佛敎學術思想的轉變，可比之如中國兩晉的玄談，漢唐的疏釋。舉例說來，如華嚴，有鳳潭上人的新說；如臨濟，有白隱禪師的宗風。天臺宗，大興其安樂律；眞言宗，行施其正法律。另外，如眞宗有東西本願寺的分立；日蓮宗，有敎系的爭議。同時中國隱元禪師東渡，開立黃蘗一宗；而曹洞宗，也於此時再度興起。因此佛敎學術思想大盛，並且都以俱舍，唯識爲其共通的修學基礎，這便是日本人所稱「佛敎的註解時代」。

到了十九世紀中葉，日本「明治維新」勵精圖治，首先接受西洋的新觀念，國家政治思想，以及學術教育等一切施爲，大有由東而西，改塗換轍之勢。因此佛教方面，雖然仍舊保有其儼然國教的地位，但天皇皇權神授的思想，和舊有神通設教的精神，也同時崛起。於是日本佛教便又別開生面，而轉向於兩個道路，那就是：㈠佛教神道不分的民間社會，宗派普徧繁興，以與軍閥們的軍國主義，密切聯繫。㈡知識分子，學習西洋治學方法，重新研究佛學思想，由宗教的信仰轉變爲哲學的探討。同時又以懷疑的態度，攷據佛經學說。但無論如何，在學術思想上，佛法反因此而昌明，且大行於日本，數十年後，直到二十世紀之間，其影響於中國佛學界，也最爲有力。在佛教徒的僧衆方面，也受時代潮流的刺激，興立各級佛學學校，印訂藏經，努力從事社會弘法事業，也益形發達。

及至二次世界大戰之後，軍國主義的思想沒落，軍閥干政的權力，也悉被摒除，在戰後悔過自新的日本，國人爲了生存的需要，大量向美國等西方國家移民，因此佛教文化也連帶輸出，而進了新大陸的美國，現在美國已有佛教寺院的創建，和出家僧衆的雛形，說實在話，這些都是得力於戰後日本人的貫輸。此外，如專門在美國和西方國家弘揚禪學的日本學者，如鈴木大拙，使日本禪學的風氣，在二、三十年間，便傳遍全世界，日本政府，現在册封他爲「國寶」。這樣一來，從此西方國家，祇知禪在日本，不知禪宗的傳承，實係淵源於中國。國人雖然稍受感染，群起談禪，大都學無師承，師心自用，不能眞正了解禪宗。我們對此，實有無限慚愧，不勝悵惘的感歎！

總之，要研究世界性的佛教，日本佛教雖然傳自中國，但千餘年來，它已的確成爲一個代表世界性的「佛國重鎭」，確是有其重要地位的。我們回溯往史，日本佛教的學術思想，雖起先從中國傳入，但其教義，却自始至終，已漸漸的隱約變質，到了「明治維新」以後，直至現代，日本佛學，已變成爲另一系列的哲學思想，或與其國家政治相關聯，並非原來面目。這在研究日本佛學史者，但須稍爲留心，便不待言而可知。例如，第二次世界大戰爆發以前，日本佛教解釋「大日如來」，便有隱含軍國主義的色彩。在民國二十四年前，日本駐杭州的領事館門前，大書特刻其「大日如來」的標語，這是著者所親見的事實，這也就是當時日本佛學思想的作用。可是至今舉世言佛學者，都舉日本佛學爲準繩，甚至，包括中國大部分佛教信衆的觀念也如此，我祇能引用一句佛語，說它「不可思議」。至於日本的禪學（是否可說是禪宗），更難下一判語了。現代的日本佛教，在其國內，從第二次世界大戰以後，神佛不分的教派，和佛教道教混合的宗支，乃至與秘密社會的關係，如雨後春筍，大約有三、四百家之多，一變再變，這豈僅是「橘逾淮而成枳」的不同而已！目前如日蓮宗創價學會的興起，標榜佛教而圖參政，甚至，未來的發展，是否別有意圖，均難遽下斷語。展望二十世紀末造的日本佛教，唯有合掌遙祝其前途遠大，正法與國運，並世昌隆！

三、緬甸

緬甸的佛教，早在西元前三世紀時期，因阿育王四出派遣傳教士，已經從印度直接傳入。但其最初教義，盡屬佛教的小乘教法，且已深植根基。後來大乘的思想，也漸次傳入，可是大小乘的思想競爭，非常猛烈。終使大乘的佛教思想，一蹶不起。至今支配緬甸全土的教法，完全屬於小乘佛教思想，而且爲一純粹的佛教國家。

緬甸的佛教寺院林立，僧衆們在他的寺院中，專門從事教育事業，一般民間子弟，都入寺院接受佛化教育，能夠讀書寫字的，約占五分之三以上。大凡八歲以上的兒童，開始送入寺院接受普通教育，學習巴利文的佛學教科書，比較優秀的，即轉入高級僧院，接受高等教育，而爲出家僧衆。緬甸在近世佛學史上，且爲印度佛教的策源地，歐洲人初受佛教思想影響，實以緬甸爲其傳播中心，歐洲人出家爲佛敎比丘的，也大都在緬甸剃度受戒。他們辦有多種英文的佛學雜誌，具有卓見可觀的論文也不少。祇是在二十世紀的末造，若全憑小乘佛敎思想，主持政治，甚至要與具有赤化世界野心狂妄的共產主義思想相抗衡，不但值得憂慮，恐怕也是「匪夷所思」，而應特加檢討的。

四、泰國

泰國舊稱暹羅，它的佛敎，早先由印度的康保假傳入。就是當時以弘揚佛敎著名的勃陀考沙，統一緬甸與假巴的佛敎，經常住於康保假，因此便傳播佛敎於泰國，大受皇室與民間的尊仰，遂使佛敎一變爲泰國的國敎。後來便明定以釋迦佛圓寂的那一年，爲其佛曆紀元的元年。但是它的敎義，也以小乘佛敎思想爲準。泰國人民，自少年時代，便要一度入寺院爲僧，接受佛化的敎育。所有的人們，都以佛敎敎義爲修身的規範，舉凡學校敎育、軍隊、警察等訓練，在開始和畢業的時候，都要禮誦佛敎的經文。男人們，依法定的年齡，必需經過三個月或一年出家爲僧的生活。而且在這一段時期內，絕對禁欲，專門學習佛教行儀，研究佛學思想，爲以後立身處世的道德標準。卽如國王就職，也須舉行和發佈佛教宗教儀式的宣言。所以舉國上下，一律都是佛教徒。僧衆們，都穿黃色的袈裟，全國爲一全黃色僧服的純粹佛教國家。僧衆多是直接參加政治的份子，其資深的大和尚，並有僧王的封號。佛像寺院，偏佈全國。首都曼谷的寺院建築，便佔全境十分之四，有名的越怕寺，成爲曼谷市內最壯麗的建築。他如越嗎限寺，等於十方往來掛褡的大叢林，容納僧衆最多。烏富里古寺，是最古老的佛寺，佛像的塑造，有坐臥等姿勢，而且大至尋丈，小至寸許，也頗富有藝術的價值。這是一個古老的佛教國家，也保存有許多原始印度佛教的習俗，他和緬甸，都是東南亞佛國重鎭傳播佛教的總站，或策源地，時代的巨輪，正進向靜謐的佛國，他們仍然靜靜地停留在藍天茂林的佛學靜境裡，二十世紀世界局勢的轉變，究竟成佛成魔？

就全賴賢明王室的領導，和高僧們智慧的支持與選擇了。

五、越南

越南的佛教，原由中國傳入，後來又受緬甸、泰國等小乘佛教的影響，大乘思想，不能深植根基，也同東南亞其他各地一樣，對於大乘佛教觀念，始終模糊不清，寺院僧衆的規模，也不是中國叢林制度。自十九世紀末葉，越南被法國所侵佔，從此宗教信仰，並不單純。在越南尚未獨立以前，古老佛教的信仰，依仗王室的庇護，在新舊世紀的罅隙裡，還可自生自滅，到了目前，越南佛教徒聲明爲爭取自由，幾次掀起推翻政府的浪潮，甚至，爲了這種運動，僧尼舉火焚身，表示極端抗議，已經爲舉世所矚目。這種行動的得失成敗，目前很難遽加論斷，應該付諸今後歷史的定評。

中國佛教特區的西藏地方

西藏地方，自初唐時期，正式接受佛教文化，不出一、二百年間，東至西康邊境，北及青海邊境等地，都成了全盤佛教文化的區域。從此一千餘年，祇有佛教內部學術宗派的分化，並無外來的干擾，所有政治、經濟、軍事等地方政權，大都集中控制在喇嘛（和尚）們的手裡，凡喇嘛寺院的所在地，就等於地方政府的駐在地，單以這一區域來比較羅馬天主教的教廷，它的財產資源與統治權威，也許超過教廷；因爲西藏的礦產，是世界有名的第二金庫，同時全藏人民，所有的收入，三分之二，都自動供養給喇嘛寺院，作爲培養昇天成佛的福報資糧。但社會風俗，始終停留在中國中古時期邊疆民族的原始生活狀態；例如婚姻方面，便有一夫一妻，一夫多妻，一妻多夫等相當自由的習慣，家庭男子，大凡有一、二個兄弟以上，必定要有人去做喇嘛，或是終身，或是有限期的喇嘛，那是聽憑意志自由而定。它雄據雪山高原的盤地，優哉遊哉的過着世外桃源的生活，所以在過去西藏人們的眼光看來，只有佛化的社會，才能做到天下太平的佛國樂土。

中國內地歷代政權有所變更的時候，他們便見風轉舵，依附新朝，所以歷代帝王，也都盡量優容，予喇嘛以敕封，使其就地受理地方行政，他們都能樂得安閒，不問世事。祇有滿清乾隆時代，曾經一度用兵西藏，以後便常用駐軍鎮守，然而這些駐軍不久就被喇嘛佛化了。到了十九世紀後半期，與廿世紀之間，初因清廷腐敗，繼而國內軍閥割據，中國內憂未已，外患又多，英國人佔據印度，用心西藏，屢加挑撥漢藏地方民族的感情，要想引起雙方紛爭，而坐收漁利。所以西藏的喇嘛和一般人士，便有親英派和親漢派的明爭暗鬪。從大處而言，前一代的班禪，便是親漢派，前一代的達賴便是親英派，因此在十九世紀開始，歐美人士進入西藏，研究佛學，或藉此而別有用心的，其數相當可觀。西藏人能通英文，比能通漢文者爲多。歐洲爲英法的傳教士，或是假借傳教士爲護身符的，進入西藏，乃至金沙江到達上游的小涼山區域，想利用中國邊疆民族的無知，如倮儸夷人等落後的民族，要席捲中國西南邊疆的野心的；實在爲時已近一、二百年了。後來日本也看中了中國這個弱點，深入西藏和倮夷區域，以學佛爲名，而實行其侵略野心的，也大有人在。到了民國卅八年以後，共匪稱兵倡亂，西藏喇嘛們，因爲素來缺乏政治意義，祇認爲又是一番改朝換代的戲劇而已。誰知曾幾何時，所謂自認爲佛國淨土的西藏，要想僅能保持其傳統宗教的超然地位，也不能容其立足，那裡還能夢想以求保持它的宗教政治的傳統呢！文化、歷史與政治，本來就是三位一體的，觀今鑑古，溫故知新，敬以至誠，簡單舉述中國佛教特區的西藏經歷，貢獻給東南亞各地佛教國家作參考，其中前因後果，和重要學理，還須靠自己去思考發現。一言以蔽之，在二十世紀以後，宗教和政治，畢竟不是可以混然一體的。

六、東南亞其他各地

東南亞其他各地，先期的佛教，原以錫蘭、爪哇與斯馬脫拉（蘇門答臘）爲最盛。當西元四百五十年間，高僧功德鎧至爪哇傳播佛教，國王與王母以下，都加信奉，佛學大乘思想，頗爲流行。七世紀末葉，中國名僧義淨由海道赴印度留學時，也曾到過南洋各地，宣揚佛法。斯馬脫拉的佛教，在唐朝時期，由爪哇傳入，現在已經衰落。其他如寮國、印尼、馬來西亞各地，以至菲律賓等國家，凡華僑所到的區域，或多或少，總存有佛教方面具體而微的規模，或受緬甸、泰國小乘佛學的影響，或受中國大乘佛教淨土宗的薰染，「南無阿彌陀佛」的呼聲，和佛教寺院的建築，所在皆有。

第二節　歐美的佛教

一、英國

英國在西元一七九六年統治全印度時，便開始對印度文化及佛學經典加以注意和研究。英國人關於佛學的研究者，曾經出過很多人才，其中最傑出的有兩位；一是馬格斯繆勒爾（Max Muller），一是利斯大衞滋（Rys Davids）。馬氏爲梵文專家，在一八七九年，發行東方聖書大集（Sacrad Books of the East）四十九卷，從此備受學術界的推崇，他的專集中，有若干的佛教經典，爲小乘律、長阿含經、佛所行讚經、觀無量壽經、大無量壽經、法華經，和所發現的梵文英譯等書，開始引起了英國人對於佛教研究的興趣，一八八一年，利氏在英倫創立巴利聖典協會（Pali Text Society），譯出了流行於錫蘭的南方聖典，經、律、論三藏註釋史傳等書。又得到泰國國王的資助，刋行了巴利文三藏聖典，更影響到歐洲人士對佛學研究的興趣。以上所述爲兩氏對佛學西傳的兩件大事，但都有英、法、德等國學者的參加，在十八、九世紀間，這是對歐洲學術界注入新的血輪，馬氏和利氏曾分別在牛津和倫敦兩大學開講佛學，影響很大，倫敦佛教協會，便公推利氏爲會長，利氏的夫人亦譯有法聚論等佛書多種。

英國大菩提會，原是印度錫蘭人達摩巴拿氏，在一九二七年新創立，參加的英國佛教徒，和印度、錫蘭佛教徒，人數相當可觀。而且附設有研究會，講演會等，每月發行有英國佛教徒（The British Buddhist）的月刊雜誌，銷路頗廣。此外，還有阿太卡來博士所創設的倫敦學生佛教協會，亨波來創立的佛教居士林等，都是弘揚佛教學術的機構。

二、德國

隨英國而起，德國人對印度佛教學術的研究，是學術界的新興運動，赫爾曼氏在一八八一年出版了佛陀的生涯教義及其教團，此乃根據巴利文原始資料，推述釋迦佛歷史的不朽之作，銷行頗廣。

與英國馬格斯繆勒爾同時著稱於世的，便是德國的印度學術專家烏愛巴氏，爲研究小乘雜阿含經的泰斗。他的弟子羅伊曼，在柏林講學，以擅梵語與西藏語見長，聲譽甚隆。日本佛教的學者常盤井、渡邊海旭、荻原雲來等，都是他從學多年的弟子。

此外，有馬格斯瓦乃查氏，精通梵、藏、美各種語文，爲德國佛學界的權威學者，他曾作有自我的問題一書，一九〇四年出版最古佛教的哲學基礎，一九二七年出版古代佛教的分派等書。馬氏又創立佛教協會，促進歐洲學者對佛教的研究，並且聯合世界各國，尤其與東方學者共同探討。他的實際活動，有從事翻譯佛教經典、發表論文和會報、設立佛教圖書館、頒發大學佛教講義、及在大學學府以外組設佛教的講座等等。

達爾凱氏所創立在柏林郊外的佛教精舍，是德國佛教運動的中心，現在也已成爲柏林郊外的名勝之一，藏有各種原文和東西方文字的佛教書籍雜誌，佛教藝術品等，其收藏之富，和搜集之廣，全歐洲罕有其匹。而且又出版有佛教著述多種，如世界意識的佛教，和倫理體系的佛教等。同時以精舍，作爲實驗佛法修持的禪定道場，並非純談學理，而且頗重行證，誠爲歐洲佛教注重修行的先導。

此外，有名的佛教學者，尚有奧支脫、解格、哥利思、爾可科、早爾夫等人。

三、法國

法國人對於佛教與東方文化的研究，實自大哲學家比優諾夫所倡導，而開西方文化的新紀元。比氏於一八〇一年生於巴黎，擅長東方文字語言，如巴利文、梵文、波斯文、古楔形文字、富羅那文字等，無不精通。他代表性的著作，有印度佛教史序論一書，是根據在尼泊爾所發現的一百七十餘部佛教梵本，故作釋迦佛傳及佛教教理的研究。內容包括大乘經典的精華，如般若、楞伽、華嚴、金光明、法華諸大乘經典。他又翻譯了法華經的全部，開歐文翻譯梵語佛教經典的先聲。比氏的門弟子中，最負盛名的佛教學者，有密有羅，及賽那爾等人。賽那爾氏校訂了大部的佛本行集經的異本原經，又依大乘原經，著有佛傳論等書。巴黎大學教授夫西尼氏，著有幾種關於大乘佛教藝術的著作。另外又有夫愛耶氏，將四阿含中的雜尼柯耶校訂出版。

此外，研究東方學術，尤其對佛教學術及印度文化最具權威的，有萊維博士。著作中有關佛教方面的有如：①一九一一年出版的，無著所造的大乘莊嚴經論的梵文本，和法文譯本；②稱友所造阿毗達摩俱舍釋典第一品；③世親所造唯識二十論、唯識三十頌，及安慧所造唯識三十頌釋論等梵本，和法文譯本，都在一九二六年出版。他又編纂了法蘭西語佛教辭典，並且還計劃編輯東方佛教國的佛教音樂大成等。另外，有日本佛教學者，與法國佛教學者共同策劃的，一所規模宏大的日法佛教會，正在欣欣向榮，朝前邁進。

四、美國

美國人的研究佛教，對歐洲人研究佛教，實在有很大的貢獻。其初著有成績的，首推亨利瓦能（Henry Warren），他在西元一八九六年著有翻案的佛教（Buddhism in Translation）一書。其後愛特曼滋（A. S. Edmunds）在一九○二年著有佛教書史（A. Buddhist Bibliography），並且翻譯了法句經（Hymns of the Taith），哈佛大學教授南曼（Lamman）主編的東洋叢書（Harard Oriental Series）其中收有阿含經，以及其他的佛教典籍多種。另外，還有晏載爾斯著的佛陀的福音（Gospel of Buddha）等等。

一八九六年，印度錫蘭的佛教復興運動者達摩巴拿到美國創立美國大菩提會，在紐約市建立大菩提會所，每年五月四日，集合世界各國旅美人士，舉行盛大的釋學紀念大典。美國東部如加州等地，有日本僑民一、二十萬人，以日本各系的佛教，如眞言宗、眞宗、禪宗、日蓮宗等，也都在各地從事教化和社會的活動，並且逐漸引起美國人對於佛教的信仰。近年以來，美國人已有出家為佛教徒的僧尼了。夏威夷州所居住的日本僑民爲數也很多，日本佛教佈教所及寺院的建立，已經有一、二十所，其中以眞宗本願寺派弘揚最有成果，所有皈依的美國人已日漸增加，並且設有佛國研究會。近年以來，佛教團體與寺院的設立，更加發達。美國人到日本留學，研究佛教學術思想的，也愈來愈盛，尤其對於禪學的研究，更有興趣。

此外，如巴西等國，因日本僑民的移殖，佛教也日漸發達。日本人對於掀起第二次世界大戰的禍端，應負無限歉然的內疚，但戰後對開始推廣東方文化西度的工作，給予西方人在物質文明的苦悶生活中，增加額外的精神食糧，有意無意間，似乎有幾近補過的作風，殊爲可嘉。自我反省之下，國人對此，實多缺憾。

五、蘇俄

一八八七年，俄國佛教學者密那愛夫出版他的名著佛教論。一八八九年，又刋行菩提行經的原典，這是佛教在蘇俄初期發展的情形。

其時，可與美國利斯大衞滋氏的巴利聖典協會媲美的，便是以奧爾典夫哥爲主的俄國學士院，及其附屬的大乘佛教出版會。一八九五年將未刊行的梵語佛經多種校訂出版，稱爲佛教文庫。刋印主要的佛經，有①一八九七年至一九〇二年西邊特爾校訂的大乘集菩薩學論。②一九〇一年至一九〇九年夫伊勞所出版的護國尊者所問經。③一九〇二年斯巴愛爾所出版的撰集百緣經，他是精通佛學的因明學者。④一九〇三年巴萊布散的龍樹中論本頌，並且附有同樣的釋論，中論釋義。⑤一九〇八年至一九一六年凱爾恩和南條共同研究的妙法蓮華經等。到了一九一七年俄國大革命爆發以後，佛學的研究，也從此「扼殺無論」了。

結論

佛教在亞洲各國，它仍然存在有傳統的威望，時代的潮流在變，佛教也正在變中，將來佛教變成如何的宗教，現在還難以預料。不過，從宗教的立場來說，亞洲大部分國家，還是佛教的天下。尤其東南亞各地的佛教，雖然對佛教學術本身，仍祇限在小乘思想的範圍，甚至還是神佛不分的混同現象，但以佛教號召的旗幟，還是很鮮明，我之能來，敵亦可往，默察東南亞佛教的大勢，令人有不勝隱憂之慨！近代以來，歐洲人的信仰或研究佛教，都以東南亞的佛學思想作藍本，美國在現代，由歐洲傳入，又滲合日本後世的佛教思想，身為佛教第二宗邦的中國佛學，依然被人所忽視，或在有意的被輕蔑之中，想是中國佛教徒的高明之士，一般與有同感並應深加警惕的！

歐美佛教傳播的情形，既已略如前述，在這廿世紀的前半個世紀以來，許多人聽說英美人士也在研究佛教，就眉飛色舞，認為中國的佛教已傳播到了西方，引以為榮。或者認為歐美人的研究佛教，有科學的精神，比中國自己的佛教更好，準備欣然就道，前去留學研究。這些盲目的心理，實在非常可笑，老實說一句，歐美人士的研究佛教，可能使佛學思想更有精細的考訂，但並非就是正法重新的機運。而且現在正值開始播種，幾時能夠開花結果，總要等到二十一世紀以後再看它的成績。今且舉出五個原因，就可了解世界佛教的趨勢。

(1)佛經的翻譯：佛教由印度傳入中國，自漢末到隋、唐，約四、五百年間，才在唐代有了眞正的果實。而且須知中國文化，早在秦漢以前，本身自有相當高明的成就，並非根基淺薄的暴發戶，所以要想通過翻譯而變成普通觀念，這是談何容易的事。況且翻譯佛經，不比翻譯普通書籍，首先要兼具兩種不同文字的高度文學修養，其次還要已經親自證到佛法修持的境界。單就兼通兩種文學的高度修養而言，已經很不容易，何況還要有眞修實證的證驗工夫。中國過去翻譯佛經的名宿，如印度人鳩摩羅什等，中國人玄奘法師等，以天才的語文學家，而兼有修證佛法的高深素養。然而他們還須仰仗國家的全力支持，設置數千人聚居的譯場，專心從事翻譯。一句一字的斟酌，往往反覆辯論數月之久，才能定稿。而且隔一個時期，若還有人認爲譯義未妥，便重新再來翻譯，所以一部佛經，往往有好幾種譯本的不同，經數百年後，某一譯本，才被公認爲可靠的信典。歐美人士，以各種不同的語言，經過幾年或十餘年的研究，用本土習慣性的思想，說是客觀，實在是作主觀的研究，以一人之力，卽遽加譯述，究竟可靠到何種程度，實在很難說。卽使由中國人去翻成外文，仍然需要具備上述的條件，才能做到。所以現在歐美所翻譯的流行佛經與佛學思想，我們勢須小心求證，此其一。⑵佛學經典的根據：歐洲人士所傳承的小乘佛學思想，他們所發現的梵文本，多是印度後期佛教的梵本，與千餘年前釋迦佛或阿育王先後時期的梵文，已有很大出入，必須要與中文各種譯本相參校或考訂，那才比較可信，而現在歐美譯經並未經過這項工作，甚至還有不重視中文佛經的趨勢。況且西洋文化，自希臘前史而形成今天的歐美文化，它本身也有數千年獨立的文化傳統，不能不加領會，此其二。(3)佛法的修證：佛教學術，不僅只屬思想，它的學說，固然有類同於西方哲學思想的形態，但它的修證方法，是反求諸己，而不是像對自然界加以研究的物理方法。佛教初入中國，如佛圖澄等，都以親自修證有素的神通作證，才使我們相信接受。現在不自求證於己，單從文字思想去弘揚推廣，自然流爲一種東方思想體系，於佛教度世精神，減色不少。且對西方人實事求是，拿證據來的要求，將以何爲對，此其三。(4)禪宗的傳播：禪宗的宗旨，本爲教外別傳，不立文字的法門，其實質重在修證。唐、宋以來流行的禪宗法語、公案、機鋒等等，已與中國文學及中國通俗方言，不可或分。到了日本，約當中國元明之間，已經變質。目前無論中國與日本，談禪者多，修證者少。以中國人研究禪宗，對古代文學詞章等造詣不深，或不了解唐、宋時代的韻聲與各地的方言，已經有許多隔膜，和扞格難通之處。現在歐美以一變再變的禪學，在一花一葉之間，心領神會其輕鬆幽默的意境，便認爲禪就是如此，我們自己不能反證，也隨聲附和，不加糾正，誤處恐無有底，此其四。(5)佛學定慧的傳授：印度教的瑜伽術，和西藏密宗的修身方法，正交互流行於歐美，一般人相率傳習，作爲一種東方神秘的健身運動，甚至和催眠術混淆不清，眞正佛法的禪定，不要說根本沒有傳過去，而且自己人也大多數不會，徒以求取虛譽而西度敎化他人，誤人乎？誤己乎？爲佛敎嗎？爲個人嗎？眞須深加反省和檢討，此其五。因此，我說歐美各國的佛敎，在二十世紀後期，正在開始傳播階段，想必不會爲過吧？易序卦說明夷與家人有言：「進必有所傷，故受之以明夷，夷者，傷也，傷於外者必反其家，故受之以家人。」爲了佛敎文化，爲了中國文化，凡我國人，應當瞿然自省！

第五章

二十世紀的佛教

第一節　清代以來佛教的衰敗

一、宗派的沒落

自十六世紀的中葉，滿清入關以後，佛教雖然仍被敬信，但是清廷爲了籠絡蒙藏地區邊疆民族的關係，對密教的佛法，尤極尊崇，這自元朝以來，已經相沿成習，且爲國家政策的一貫傳統。內地的佛教，自雍正以後，禪宗一派，在叢林制度的庇蔭下，其法統的傳承，有形式的保留，但實際上，已是一蹶不振，祇有淨土宗還能保持昔日的陣容，普遍流傳於民間社會。此外，如天台一宗，也是若隱若現，不絕如縷。華嚴、唯識等宗，大多已名實不符，附和於禪宗、天台、淨土三宗之間。這是當時佛教的一般概況。

我們如就佛教學術的盛衰，及其學術的立場，嚴格說來，到了明末清初階段，佛學在中國的學術思想史上，已經盛極而衰，而且因理學的陽明之說大行，明末少數的禪師和法師們，雖然身爲僧衆，有些還是從陽明之學才理解到佛法的心要。所以，從清初到以後三百年間，㈠士大夫們，竭誠致力於匡復大業，大多專志於經世實用之學。出家的師僧們，在佛學見地上，又無特別的創獲。所以佛學在知識份子間，不能再有唐宋以來的聲望。㈡佛教本身，人才衰落，極少有如唐宋高僧的嘉言懿行，以爲風世的楷範。到了滿清中葉以後，許多號稱禪宗的大和尚們，爲了虛譽，爲了留傳，甚至還以鴉片、煙、酒，籠絡當時落第的秀才，勦襲歷代禪師的語錄，閉門虛構一些也是所謂「語錄」的「傳家之寶」，吩咐後代法子徒孫，爭取編入大藏經，以爲光榮。比較稍具學識的名僧，則又競相入京，奔走權門，納交官府，一意攀高結貴，希望求得皇帝的封號。如果能夠得到一紙詔書的敕封或稱號，便可以國師自命，而誇耀於善男信女之間。所以民間俗謠，便有「在京和尙出京官」的感歎了。這種風氣，由明末開始，到雍正時代，已經相當嚴重，因此雍正一再下詔，切責師僧們不必學習詩文，一心祇想以文字因緣，與士大夫們來往。他說：「你們作詩再作得好，總也比不上我們翰林學士們，既然出家爲僧，便應努力修行證果，何苦與文人們爭取文名呢」！這些倒是很誠懇的老實話，決不能因人而廢言了。有清一代，專重眞參實證，以打坐參禪相標榜的，祇有南方的金山寺和高旻寺兩大名刹最爲有名。他如天童、育王諸寺院，比較已在其次。

二、師僧和寺院的變質

因爲唐宋以來叢林制度的遺蔭，全國各地，無論庵、堂、寺、院，都有相當的私產，如山林，如寺田，產業數目，相當可觀。民國初年，有人作過初步的調查，認爲如果集中佛教的全國寺院財產，大可富埓天主教，可與羅馬教廷的財富相媲美。雖然調查未必準確，然其資財的富有，爲不爭的事實，由此殆可以想見一斑。但自明末以至清代，這個本來完美的制度，已經產生很大的流弊，全國各地，除了少數有名的幾個大叢林寺院，還是保留它的「共有」「共享」制度，而爲公天下的「十方叢林」以外；有些地方寺院，已經一變而爲「子孫叢林」的私天下了。所謂「子孫叢林」，便是師徒歷代傳授法統，同時也授受了本寺資產的管理權。如果一師數徒，他們也同世俗人家一樣，分爲數房，如大房、二房等房份，以次遞分，爭權奪利的事情，也處處可見，因此師僧結交官府，稱霸一方的也不少。除了「子孫叢林」以外，在教內的術語，還有「小廟」，「小廟」的南方僧衆，又有「禪門」與「應門」的分別。所謂「禪門」，講究清修；所謂「應門」，專作佛事。他們唸經拜懺，乃至薦亡送死，藉此賺些報酬，聊資糊口。至於招收皈依弟子，造成信衆的派系等，已經不在話下。我們回溯往史，釋迦佛昔以充滿慈悲的宏願，創爲救世的佛教，如今已是自救不暇，衰頹到了極點。所有宗教，大約都不許違背良心說謊話，所以我寫到這裡，也只好實話實說，俾明大概，以爲有遠見的佛徒們，對佛教的興衰成敗，作一策勵的檢討和反省的惕勉。

第二節　清末民初佛教的復新運動

中國的佛教，自隋唐以後，便已成爲中國文化中鼎足而三的儒、釋、道三大主流之一。因隨歷史演變，由於朝代的遞嬗，而有盛衰的起伏，直到上世紀末和本世紀的現在，這個遞延原前，還是一仍舊貫，好像並未更變，在近代史上，自中英鴉片戰爭開始至中日甲午戰爭以後，中國因爲受到一連串喪師辱國失地賠款的慘痛教訓，使安貧樂道襲故蹈常的國人，深受外來刺激，這才一夢驚醒，從此便注視西洋文化，漸漸對於西洋文化思想，也轉變觀念而加以探究。跟著，西洋文化，就相繼進入中國。而初期來華的各國教士，他們一面宣揚天國的福音，一面傳播西洋的學術，究其行動背景，不無侵略色彩，所謂文化侵略，原係挾其帝國勢力而來，這在當時情況，也是勢所難免。清廷國勢衰落，既已暴露無遺；同時西洋人根本也不明白中國幾千年來的文化遺產，究竟有些什麼，所以把中國人也一律看作落後地區的野蠻民族一樣，這種歧視扞格之處，到目前爲止，中外兩方，還沒有充分了解和完全消釋。這是東西方人類文化交流史上一大障礙，因此障礙而造成西洋人在中國人的歷史地位上，有了許多難以估計的損失。現在雖然於發掘研究之餘，漸有較佳的體認和好轉的跡象，但其前途的成就，還待歷史的考驗。

我們對於文化歷史，有了整個認識，然後簡單述說二十世紀的佛教，才能順理成章，可以鑑往知來。玆就「二十世紀的佛教」，試論撰爲：㈠中國佛學的復新。㈡中國佛教的演變。㈢世界佛教的動向。

分述如下：

一、中國佛學的復新

關於中國佛學的復新，就事論事，首先應該歸功於佛學大德的學者居士們。因爲在上世紀末和本世紀初，肩負佛教傳統家業的僧衆們，也如滿清政府一樣，都是不明世界大勢，閉關自守，故步自封的一般人物。祇有知識份子的學者居士們，隨著時代潮流轉變，因溫故知新，才能開啓這個復新的機運，而開啓此一復新機運的耆德元勛，如所週知，毫無異議的，首先應推石埭楊仁山先生。仁山先生，名文會，安徽石埭人，近代學者尊之爲楊仁山大師。他的祖父與清廷中興名臣曾國藩爲同年，他在十幾歲時，便隨祖父見過曾國藩前輩。曾文正公當時一見便加賞識，勸他努力功名，他對文正公說：我不要求異族的功名。文正公只好一笑罷了，從此便很留意他，後來還吩咐他的公子曾紀澤，好好培植這個人才。到了曾紀澤出使歐洲，便請他幫忙，擔任參贊的名義，實際上由他大權獨攬。他在遊歷歐洲的階段，極力留心科學。後來又到了日本，他得到日本佛學家南條文雄的幫助，使他發現了許多唐宋遺留在日本的佛學寶典。回國以後，便絕意仕進，立志畢生弘揚佛學。後來捨宅刻經，與他的弟子歐陽竟無先生，在南京成立著名的金陵刻經處，弘陽佛學的事業。所刻佛經與佛學要籍的版本，必力求精審，廣事蒐羅，詳加釐訂。一時風聲所播，舉如：戊戌政變中名列六君子之一的譚嗣同，現代文化啓蒙導師梁啓超等前輩，乃至國學大師章太炎先生等，也都深受影響致力佛學。總之，仁山先生在清末民初之間，名重公卿，震聲朝野，但始終爲弘揚佛學而努力，畢生以居士身應化衆生，可謂稀有難得。

後來繼承楊仁山先生弘揚佛學的事業，有歐陽竟無先生，先生名漸，宜黃人。與李證剛先生等，皆遊於仁山先生之門，可以說是佛學的巨子，佛教的龍象，學者亦尊稱之爲大師。他繼仁山先生遺志，創辦有支那內學院，專門闡揚佛學的般若、唯識之學。從他門下的，有出家的法師們，有在家的學者們，如呂秋逸、熊十力、王恩洋、梁漱溟、黃懺華等，都是他的弟子。目前許多學者，大半也是他的再傳弟子，或是間接受他影響的。內學院在抗戰時期，遷移到了四川江津，竟無先生也在四川逝世。內學院所刊印的佛經及序文，都是辭章典麗，考據精詳的傑作，這又大都出自呂秋逸先生所手訂，他曾遍考梵文、日文等版本，其態度的矜慎，可以想見。這時在北方並以佛學大師出名的，還有韓清淨先生，所以一般學者，便有「南歐、北韓」之稱。

由楊仁山、歐陽竟無先生階段，時代已經轉入民國，也正是二十世紀的初期。受仁山先生一系的影響，在京滬一帶專門從事佛學的弘揚事業者，便有丁福保先生的編纂佛學大辭典，和梅光義先生講述唯識，還有聶雲臺先生的護法，馬一浮先生的創辦復性書院，融會三教理論，專主禪理與儒家經學合參的門風，自成一家學系。但是可以認定，那些都是因爲楊仁山先生直接或間接啓發的關係。總之，到了民國初年，二十世紀的初期，中國學術界，對於研究佛學的風氣，顯見一反常態，特別勇猛精進，方諸雨後春筍，向陽花木，大有競艷爭發，茁壯滋長之勢。這種風氣，一直延續發展有四、五十年之久，到了共匪竊據大陸後，才被一手扼殺，料想已歸淨盡。

大凡一種學術風氣的形成，必然有它時代意義的背景，卽其前因後果，所謂法不孤起，決不會無故幻出空中樓閣的。準此以論，關於二十世紀之㈠中國佛學的復新，以及㈡佛學思想的趨向兩課題。同樣也會附屬於一般法則，而有它勢所必然的因果律的。

第一、有關中國佛學復新的答案，質直的說，實在是受西洋文化思想刺激的反應。因爲十九世紀的末期，中國人爲了注視西洋文化思想，先由學習自然科學而發現西洋的人文科學和政治思想，因此便源源輸入西洋各種政治主義的理論，新思潮便勃然而興。爲了探求政治思想，自然而然便要追尋領導政治思想的哲學，所以自希臘以來，西洋的各種哲學學說，也就源源而來。尤其此時新興的唯物主義思想，有如滔天巨浪，淹沒一切。這種新思潮的進入，促使中國歷史起了革命性的轉變，一般知識份子，在學術思想上，因襲宋明理學，或者向來關門閉戶，自尋煩惱的搞他三教異同的學說，忽然面對新進輸入的西洋各種哲學理論，倉卒之間，便有瞠乎其後的錯覺。因此一般富於民族意識，而且比較保守，又有較深國學修養的青年知識份子，在潛在的意識裡，無形中便產生一種抗拒的力量。但反躬自問，傳統的儒家學說，三千年來，一直被錮閉在道德倫理的圈子裡，要想以純粹思想，超越於西洋唯心唯物的哲學理論，便有理屈辭窮，離以發揚闡明之感。所以此如胸懷大志的楊仁山先生之流，到了日本，一經接觸唯識法相宗的思想，發現其中涵有至高無上的形上哲學理論，可以統率唯心唯物的思想，而其井然不紊的因明邏輯，以及道德倫理，乃至身心修證等學理的緻密，抑且概所包容；於是便有「道在是矣」的感覺，不期而然的便投身於佛學的法海，發出覺世救人的大悲宏願了。自此風行草偃；凡是學問淵深，是非今古之間的學者，也就向慕不已，一時趨之若鶩，而風靡了中國的學術界。在另一方面，比較傾向西洋文化的學者，當然也爲數不少，至於主張調和論者，自亦大有人在。此係題外，可不具論。

第二、有關佛學思想趨向的答案，老實的說：他們動機開始，原是要以佛陀的學理來統領東西方的哲學思想，後來愈鑽愈深，不知不覺間，自己便變成一個虔誠的佛教徒，無形中走入宗教的不二法門，自然對於明清以來衰敗佛教的本身，發願要求整頓。因此弄得既不能救世，又無暇自救，結果還與佛教的出家僧衆，無意中形成冰炭，勢不相容，一直鬧着居士弘法爲非法的爭論，所以更不能救起沒落了的佛教，誠爲可歎。例如楊仁山先生與歐陽竟無師徒二人，當時受佛教教內的歧視，幾乎到了委屈不能求全，忍辱不能負重的爲難境地，所以竟無先生後來在他的闢邪，昭正學說中，第六條目內，便有辨僧與居士可否弘法的讜論，由此可見當時楊仁山與歐陽竟無二位師徒間，所引起僧俗弘法的諍議，非常嚴重。這個問題，直到如今尚彌漫在佛教徒的僧俗之間，就佛教言，實在是一重大的內傷。

從此以後，支那內學院的學風，又啓一新的方向，例如竟無先生的弟子熊十力等，因學佛而不成，復慨於覺世牖民之道，全仗佛學未必盡然，便自重理舊學，開創揉合儒佛思想融通的學風。熊十力便將易經學理與唯識法相同參。自著新唯識論等書，與其師竟無先生決裂分庭，自成一家之言。至於他對易學與唯識學造詣的程度，其實有待商量。但自竟無先生的內學院一系以後，所有文字寫作路線，都是以玄奘法師翻譯唯識宗的筆調爲格式，因此晦澀難通，形成風氣，使「

五四」運動以後，介於新舊文字的知識青年讀之，大有高深莫測之妙。於是自楊仁山先生至歐陽竟無再傳而至熊十力以後，所謂「新儒家」、「新理學」的思想又形復活，直到大陸陷匪為止，這些前輩先生們數十年的努力，也就灰飛煙滅，薪傳待考了。

二、中國佛教的演變

由上節所述中國佛教的復新，就可以了解二十世紀初期，清末民初佛教的機運。這時出家僧衆的佛徒們，雖然也已受到時代的壓力，但他們始終還過着山邊林下，「日出而作，日入而息，帝力於我何有哉」的寺院生活。其中既乏唐宋時代足以領導學術思想的禪師與法師們，對於時代的趨勢，與世界情況的轉變，不但茫然，而且根本不聞不問。到了民國元年（西元一九一二年），清帝遜位，民國肇造，袁世凱包藏禍心，陰圖帝制，佛教本身，又鑒於外來宗教等有組織、有計劃的傳教行動，同時受政治思想的影響，才由當時享有盛名的詩僧八指頭陀發起，召集全國僧界代表，在上海留雲寺，創立「中華佛教總會」，議定章程。正當這個佛教會的組織呈請政府，尚未蒙批准立案的時期，袁世凱政府的內政部禮俗司方面，爲了妥籌帝制經費，一眼便看中了全國佛教的寺產，所以在民國二年，便有提撥公私寺產的案件發生，八指頭陀爲此進京力爭，始終不得要領，便憤激而死。因爲盛名詩僧的以死力爭，才由他生前的詩友們，如熊希齡，楊度等八人，對袁世凱加以關說，因此中華佛教總會的章程，才經過國務院審定公佈，佛教寺產，賴以少安。八指頭陀，湖南湘潭黃氏子。法名敬安，字寄禪。少時孤貧，爲人牧牛，未讀書，不識字。常與王湘綺先生等當代名士爲方外友，因苦行修持，忽然有悟，最初作出了「洞庭波送一僧來」的名句，如同宿構，湘綺先生等極爲欣賞，從此便以詩名，以後歷任國內名刹方丈，望重諸方。此後，國民革命尚未完全成功，自推翻袁世凱以來，又進入軍閥割據的局面，兵燹餘生，國內名山古刹，日漸侵陵，以爲軍閥兵馬駐屯之地，大有「天下名山兵占多」的情況。這段時期，八指頭陀的弟子中，能夠續承遺志，而且比較具有現代知識的和尚，便是太虛法師了。他在後來的幾十年中，不惜被人罵爲政治和尚，決心爲護教而努力，屢次整頓中國佛教會，創辦僧衆教育的學校，出版海潮音等刊物，實在爲新中國的佛教，作了許多值得敬重的事情。

太虛法師，浙江海寧張氏子，幼孤，十五歲即出家。潛心修持，善爲詩文，故得結交當時諸名士，三十歲時，受革命和尚華山、棲雲兩人的影響，即參加廣州方面國民革命工作。武昌起義，全國光復，法師覲見　國父，並在金山寺組織佛教協進會，志欲整頓新中國的新佛教。因此在當時佛教界中，便有革命新僧太虛，大鬧金山寺事件，名震一時。民國初年，又潛心修持，閉關於普陀錫麟禪院。此後三十年來，悉心致力於佛教的革新運動，到處講學弘法，並主辦僧衆教育等事業。世界佛教聯合的運動，也由他所首倡，民國十二、三年間，他在廬山卽獨標世界佛教聯合的宗旨，有日本名僧，及日本佛學名家木村泰賢等與會，同時也有英、德、法、芬蘭等國佛教徒參加。後來他又到日本各地講演過佛學。此後，擬辦中華佛教大學，世界佛學院等壯擧，都因限於經費，未遂所志，而不果所行。在第二次世界大戰的先後期間，他辦過廈門閩南佛學院，武昌佛學院，漢藏教理院，作育新佛教的僧才，確也培植了許多出類拔萃的學僧，例如弘法與留學錫蘭的名僧法舫，就是他的得意弟子之一。戰後，曾組團率衆訪問過東南亞各佛教國家。他的一生，對於整頓和振興佛教的願望，雖然尚未普遍見諸事實，但其願力志事，的確值得欽佩。平生著作等身，純疵互見，而其思想却極爲新穎。他主張「人間淨土」，常有「仰止唯佛陀，完成在人格。人成卽佛成，是名眞現實。」的口號，這是很具氣魄也很有見解的新中國、新佛教的維新精神，應該算是他一生的名言，可供今後佛教徒的啓發。此外，他主張發起世界宗教聯誼會的運動，而且親自參加其事，的確頗具遠見，現代佛教界和許多教外人士，對他頗有微辭，甚至認爲他是熱心政治，或過於好名，其實都非定評。他實在可以說是一個苦行僧。我所謂的苦，是他的心志很苦，他想振興佛教，熱愛國家，那都是出於一片眞誠。而他正生當新舊思想的交替和民主政治的新階段，他過於熱情，尙不能完全了然於世界大勢，又缺乏眞正的政治見解；對於積習深重的中國佛教，不循漸變的途徑，想用革命的方式，促使驟變，所以弄得有願未償。例如，他所創辦的新僧教育，影響也很遠大，北伐成功以後，各省縣市不但都有佛教會的成立，而且大多數縣市也都有佛學院等的成立，間接直接都曾受他新佛教運動中僧衆教育的影響。但新僧教育的結果，佛教師僧們，對於新時代的普通常識，比較增加認識，而對教義和修證佛法的工夫，反而愈來愈差，不如當初了，這實在也是新僧教育制度上一種最大的遺憾。

自八指頭陀到太虛法師，都是適應時代需要，延續佛教慧命的先哲，這在現代佛教史上，應該可算爲可敬的佛弟子，畢竟功多於過，是值得大書而特書的人物。此外墨守成規，依照佛法而以修持行爲作一代規模的，在淨土宗，有印光法師；天臺宗，有諦閑法師；律宗，有弘一大師；禪宗，有望重山斗的虛雲老和尚、還有號稱當代禪門龍象峨嵋金頂的傳缽和尚、萬縣鐘鼓樓的能緣和尚、蘇州穹窿山的道堅和尚、揚州高旻寺的來果和尚，這幾位還都能保持宗風，卓然獨立，而爲佛法中的中流砥柱。這許多佛教耆宿，也都是當代的佛教大師中，品德莊嚴，或學問淵博的代表人物。由清末到民國三十七、八年間，他們後先輝映，將近半個世紀，對於佛教風氣，與知識份子及學佛人士等的影響很大。乃至男女老幼，名公巨卿，販夫走卒，或多或少，直接的或間接的，都受過他們的感召，他們維繫世道人心，默然輔助國家政治教育的不足，可謂功不唐捐，實在未可泯滅。除了上述的高僧名宿以外，各省各地也都有若干德行可風的和尚們，一時難以盡述。在以上所說的這許多高僧當中，尤其以印光、虛雲、弘一三位大師聲望之隆，名高一時。印光大師原是清末宿儒，在他未出家以前，本來也是崇尚理學，排斥佛教，出家以後，以平實教人，常以儒家孔孟做人的道理，作爲學佛的津梁，以老實念佛爲究竟的法門。他的文章言行，充滿仁慈的氣韻，有印光法師文鈔等著述行世。虛雲老和尚，更爲萬方景仰的大德，他的言行，自有專集流通於海內外，不必另作介紹。弘一法師，在未出家以前，以名士、才子，而兼藝術家，舉如書法、繪畫、音樂、詩詞歌賦等，無一不精，而且飄逸出羣。他出家以前的風流韻事，流傳滬杭和東瀛日本的也不少。出家後，苦行勤修，一衣一缽，嚴持戒律，使人望而起敬，曾在福州、泉州、廈門、溫州等地，住過相當長久的時間。他的俗家弟子，有名畫家豐子愷等，都受了他的感召，畢生作畫，爲弘揚佛法的慈悲戒殺而努力。此外，在南方江浙一帶講經說法的法師們，著名的有圓瑛、慈舟、應慈等法師；在北方，有倓虛老法師；在川滇，有昌圓、戒塵老和尚，同時都是倡導淨土宗念佛的高僧。較爲後起，宏揚東密的，有持松、超一等法師。弘揚藏密的，有能海、法尊等法師。此外，在民國初年以迄現在，由章太炎先生與「南社」詩人們的烘托，擅長鴛鴦蝴蝶派的文字，以寫作言情小說如斷鴻零雁記等而出名，行跡放浪於形骸之外，意志沉緬於情慾之間的蘇曼殊，實際並非眞正的出家人。他以不拘形跡的個性，在廣州一個僧寺裡，偶然拿到一張死去了和尙的度牒，便變名爲僧。從此出入於文人名士之林，名噪一時，誠爲異數。好事者又冠以大師之名，使人淄素不辨，世人就誤以爲僧，羣擧與太虛、弘一等法師相提並論，實爲民國以來僧史上的畸人。雖然，曼殊亦性情中人也。民國以來，佛教的活動，大概便是如此。但從顯密兩個角度來說，這些都是現代佛教顯教的事蹟，在密教方面，也另有一番風貌。

當民國締造的初期，全國人士，遵從　國父孫中山先生民族主義的號召，大家都了解漢、滿、蒙、回、藏五族一家，都是炎黃子孫，因此溝通漢藏文化的風氣，便應運而起。在政府方面，對於元明清三代以來就被崇敬的蒙藏地方的佛教或盛典，如達賴、班禪、章嘉大師等的名號，也循例尊封他們為呼圖克圖。譬如班禪第十世、現在印度的達賴第十四世，兩位活佛的轉身坐牀大典，在國民革命北伐成功，到第二次世界大戰，中國抗日戰爭以後，我們國家元首先總統　蔣公，都曾特派大員參加主持盛典，錫封如故，榮寵有加。而章嘉十九世，先後於抗戰戡亂期中之入川與來臺，始終追隨政府，歷任國府資政的高位。民國初年在北平，抗戰時期在四川，都有西陲文化院的組織。因此從民國初年到大陸陷匪之前，這三、四十年期間，西藏密教各派的高僧們，親來內地宏傳密宗教法，和內地的法師居士們，趨赴西藏求法的，互相往返於康藏之間，彼此行旅之衆絡繹於途了。其初西藏的喇嘛來內地宏法的，有白普仁尊者、紅教的諾那活佛等；後來有白教的貢噶活佛、花教的根桑活佛、黃教的東本格西、阿旺堪布等，他們過去都是寸步不離康藏，自民國以來，便都親來內地傳法了。中國佛教，對於西藏密宗的佛法，自宋元以後，一直保持神密的觀念，卽使學習密宗教法的，也大都限於歷代帝王的宮廷大內，民間却極少流傳。到了民國以後，神秘的封鎖界線一旦開放，普通一般學佛的人們，忽然接觸到這些向來被視爲神奇的修持方法，便有暈頭轉向的趨勢，許多崇拜神秘的人們，認爲除了藏密才有眞正的卽身成佛之路以外，其他的佛法，雖然不敢一律鄙視，至少也有不堪一嚐的意思。其實眞正研究佛學的人士，稍一留心印度後期的佛教思想，以及對印度宗教哲學，如婆羅門、瑜伽術等一有接觸，就可了解所謂密宗神秘的根源，和它哲學理論的基礎了。可是學密的風氣，在民國初年到第二次世界大戰結束之際，在中國佛教界，大有日趨興盛之勢。但自一九四九年以後，無論顯教與密宗，甚至向來被稱爲神秘佛國的西藏，到此也被一律摧殘，遭到空前厄運。今後佛教的復新與生機，便有待於時賢及後繼者的無畏精神和不斷努力了。

總結論

歷經二千餘年傳承一貫的佛教，在過去，對於中國和印度的學術思想、政治、教育，都有過輝煌的功績。到了中國以後的佛教，自魏、晉、南北朝，歷隋、唐以後，一直成爲中國學術思想的一大主流，而且領導學術，貢獻哲學思想，維繫世道人心，輔助政教的不足，其功不可泯滅，推開後世佛教徒偏誤的流弊而不言，僅從大處着眼，可以讚許它是哲學的哲學，宗敎的宗敎，一點也不爲過。至於它的流弊所及，有許多地方可以被社會所指謫，都是積非成是的佛教末流，對於眞正佛敎的敎義，和它的偉大精神，並不相涉。但依照中國目前佛敎，和東南亞各地佛敎的作風，前途未可樂觀，而且值得憂慮，佛教界的人士們，雖然人人有感於將來適應的可畏，依然猶是積重難返，無法改絃更張。爰就其目前情況，試舉六點結論，以供現代佛敎的參考。可是這些言論，祇是隨筆寫來，還談不到有所建議，更不是有所爲的批評，祇是一舒感想而已。

一、佛敎的命運：自教主釋迦佛以來，便創四衆弟子的制度，出家的男衆比丘——俗名和尚，女衆比丘尼——俗名尼姑以外，還有在家的男衆和女衆——俗名統稱居士，或加上男女兩字以示性別。釋迦佛以住持（負責）佛敎儀範，弘揚佛法的任務，咐囑於比丘衆。以護持佛敎的責任，交託給國王、大臣、長者、居士，做爲扶持佛敎的護法。因此在中國、印度、日本等國家，歷代世世相仍，佛教的命運，都仰仗政權與社會名流的維護。到了十九世紀末期以後，民主政治的制度，推翻數千年來帝王政權專制政體的陋習，佛教徒對民主自由的認識不夠徹底，對法治的法律知識不夠了解，仍然依草附木地去攀緣於社會人士，或仰賴殘餘的舊式政權之間。從今以後，由二十世紀到二十一世紀的新階段，還要一仍不變的仰人鼻息，以維衰命，不自尋求所以立於新世紀的路線，恐怕命如懸絲，危同纍卵了。

二、佛教的經濟：二千餘年來的佛教，無論在中國、印度或日本，向來便在農業社會中求乞賸餘，用以維持自己的生命，對於宗教集團本身的經濟觀念，從來沒有做過考慮，況且動輒以戒律爲當頭棒喝，使教內有識之士，也不敢提出主張。祇有中國的佛教，在唐代經過禪宗叢林制度的建立，才有略具規模的宗教集團，類似集體農場制度的產生，這種制度，以後也隨佛教形式和教義，傳到日本。但在目前，一則碰到中共文革的摧毀，一則受資本發達，工商業劇烈競爭，社會經濟結構整個變遷的影響，全仗舊有農業社會的生產方式，已經不能自全生計，何況還不能自力更生，依靠托鉢募化爲務。今後還要想以這種附屬生存的方式，用以維持佛教，恐怕不待別人的消滅，就根本無法立足。

三、教徒的團結：世界任何宗教的宗旨，本來都是主張個人自由的眞正自由主義者，除了西洋的宗教，早已另有宗教行政的了解，自有一套具體的組織法規以外。佛教的個人自由主義，可以說已經自由到了極度，一變爲絕對自私的程度，至少在形式上是如此的。如果說中國人都缺乏團結性，我想中國佛教徒的不團結，足以爲中國人不團結的標本取樣。到目前爲止，向來內在的僧俗弘法之爭、以個人師僧爲標榜的徒衆權利之爭、門戶派別之爭、居士衆中自我崇高之爭、傳法的優劣之爭、甚至瑣碎如衣著之爭等等，不一而足。釋迦佛在世，素來以僧伽爲和合互敬的教訓，到此自毀自敗，一破無遺。倘使還不自省自救，祇想避世高蹈，恐怕在二十世紀以後，便無可立於天地之間了。

四、教育學識的條件：過去佛教在中國的興盛，全賴師僧們學問知識的淵博，品德修持的規範，成爲上下社會普遍崇拜的偶像，因此才形成了佛教的崇高與偉大。可是這些大師們的學問與知識，大多都在未出家，或已出家的初期，對於普通學識，已有高深的修養，然後配合佛學的精義，才能成爲一代宗師，而且他們本身也就是眞正的教育家。現在呢，受過普通的教育程度，已嫌不夠，祇要披上袈裟，能講幾句佛理和解釋一些佛學名辭，便自視爲天人師表，實在急需反省求學，力求充實自己，才不愧對高深淵博的教主。過去在印度的後期佛教，便提倡大乘菩薩，自身須具備有五明的學問：㈠內明（由修道而悟道）。㈡因明（精通邏輯，到現代還應該包括各種宗教哲學和其他人文科學等）。㈢聲明（各種文字學與文學）。㈣醫方明（擅長醫藥）。㈤工巧明（具備工藝技術，到現在應該包括技術科學等技能）。時到二十世紀的後期，教育、知識的普及，日益普遍，如不立即反省，急圖充實自己，向來以天人師表標榜的佛教，恐怕難以自圓其說吧！目前雖然也有許多地方，舉辦僧衆教育，但必須謙虛瞭解，教育是百年大計，以一個外行，甚致自己根本不懂教育，或者只知宗教教育的人來辦教育，恐怕一誤再誤，不可收拾。他山之石，可以攻錯，謙虛接受教內教外的忠告，絕對是利多弊少的。

五、修證的缺乏：佛學教義，除了哲學思想的超人一等以外，最爲重要的，它不是空談學理，它是要以人人身心爲實驗的條件，去身體力行，這樣躬行實踐，才可以求證到一個圓滿的答案。因此，佛學的本身，以現代眼光看來，是最有科學精神，而經得起時代考驗的，何況其中除了哲學思想以外，有關理論科學的原理原則，也非常充沛，只是這一豐富的寶藏，尚未被世人所大量的開發而已。目前的佛教，說理者多，修證者少，處在二十世紀的科學時代，有何見證可以使人肅然起敬呢！況且因爲佛教徒的缺乏修證，即使說理，已經發現許多歪曲的理論，這是一種極其可怕，自毀教門的危機，應當切實修整觀念，向自證自省去努力。

六、參政的趨勢：在二十世紀民主思潮的風氣中，世界上凡是開明的國家，對於宗教信仰自由，宗教團體的依法參政，應是毫無疑問的事實。但目前的佛教，對於大慈大悲的佛教宗旨，如何配合世界上各種政治思想與制度，確定一種政治主張的學說，毫無具體辦法，祇憑憤憤思進與躍躍欲試之氣，以素來缺乏政治修養的習慣，企圖躍上政治舞台，一展教主式大無畏的雄風，恐怕百無一是之處。這點尤其值得深思靜慮，必須先求具有卓見的學識，再求立於不敗之地而後可。

總之，未來佛學的前景，試以質能分析：如就宗教信仰來看，它的舊徑路，似乎越走越窄；如就學術思想而論，它的新境界，必將愈拓愈寬。因爲，它有宏博的宗旨，湛深的教義，智週萬彙的思緻，廣大圓融的說理。何況，它的歷史悠久，善信衆多，在木魚青磬，山中林下，不乏沈潛卓越先見明知之士，爲了佛教，爲了護法，似乎應該各抒所見，各盡所能，一本能仁堪忍的毅力，見義勇爲的精神，來荷擔如來的家業，重振佛教的雄風，以適應未來時代的潮流，爭取未來時代的光榮。其實振衰起疲，端在念力一轉，此誠筆者所爲翹首盼待，馨香禱祝的了。

附錄：

禪宗叢林制度與中國社會

叢林制度與中國社會問題引言

社會學裏的社會

社會這個名稱，是指各個團體之間，具有一定的關係，共通的利益，因此合作以達一定的目的，組織成爲一個整體的集團。普通便把它用來指某一種同業，某一類同身分人的名辭，例如上流社會，勞動社會等。也有用以代表某一區域性的，如上海社會，漢口社會等。

當西曆一八三八年間，法國學者孔德（Comte）便創了社會學這個名辭，他用以研究以社會爲體的一種科學，從前我們也有稱它作群學的。自經英國學者斯賓塞（Spencer）沿用社會學這個名辭以後，它就成爲一個專門學科的名辭，凡專門研究社會的組織的，就叫作社會靜學（ Social statics ）專門研究它的成長和發展的，就叫作社會動學（ Social dynamics ）它的研究對象，大體有三種：⑴社會的本質。⑵社會進化的過程。⑶社會進化的原理。有的以生物學作旁證，有的以心理學來證明。

東西文化不同的社會

推溯一百年前，我們的歷史文化裡，根本便沒有這個名稱，也毋須有這一門學識的成立，這不能說：我們過去的不科學，祇能說：過去的歷史文化，無此需要，這就是東西文化的基本不同的精神所在。基於經濟學的觀點來說：我國向來便以農立國，地大物博，土廣人稀；有的是天然的天材地寶，可以利用厚生，並不需要向外爭取利源以養活自己。加以傳統的文化，素來以安居樂業，樂天知命爲祖訓，因此人人祇要重禮守法，完了國家的糧稅以外，農村的社會裡，雞犬相聞，老死不相往來，是件很平常的事。宋人范成大的詩所說：「綠遍山原白滿川，子規聲裏雨如烟。鄉村四月閒人少，纔了蠶桑又插田。」這樣一幅美麗的天然生活圖畫，誰願意熙熙攘攘，過那忙得忘了自己，專爲工商業社會的生活呢？除了西北和北方一帶的遊牧民族，還過著「穹廬夜月映悲笳」的生活，所以還需要兼帶掠奪性的侵略以外，大體我們的祖先，都是安於和平康樂的人生的。

在西方的歐洲則不然，他們沒有像我們的歷史一樣，早先就經過一度像秦漢的統一局面，部落酋長式的蕞爾小地，便稱爲一個國家。既不能以農立國，更不能靠土地生產的經濟，維持人民的生活。因此從盜匪式的搶奪之中，一變爲國家間的侵略，由經營商業的遠出貿遷，變爲有組織的工商業集團，所以他們的每個社會，在在處處，都需要有組織。西方人的社會，由此成長和發展就很自然的成爲人群生活的中心需要了。而且社會的主要開始目的，是由於經濟的需求而來，所謂社會學上的社會制度，社會分化，都是漸漸的發生更多的問題所形成；例如社會運動，社會革命政策，社會心理學等等。他們一有了問題，就拿那一個問題作中心，把它分析研究，便變爲一門學科，馬克斯、恩格斯們的社會主義，在西方的這種環境之下，就會很自然的發生。如果他們也生長在中國的農業社會裡，很可能也會變成杜甫一樣，感嘆那「腸斷江春欲盡頭，杖藜徐步立芳洲。顛狂柳絮隨風舞，輕薄桃花逐水流。」祇作些「花落水流紅，無語怨東風」等等悲天憫人的韻語了。西方的社會經濟，進步到了現在，有歐美的科學化的工商業社會，而且已經由公司、會社、社團的組織，發展到各種各類的俱樂部，由經濟剝削和侵略，發展到社會的福利經濟。國家的法律，範圍了組織。社會的組織，影響了國家的立法。不是從商業的市場競爭，演變成政治哲學的自由和民主第一，就是由經濟政治的重心，認爲社會主義的共產獨裁第一。我們的歷史文化，到了現階段，也便恰當其時，捲入這個矛盾對立的世界洪流之中，亟待我們自己的努力，統一融會而堅強的站立起來。

宗法社會的辨別

假定從社會學的觀點，來說明我們歷史文化上的社會史跡，也有把我們過去的氏族宗法關係，叫它作宗法社會。嚴格的說來，這還是有問題的；因爲社會，是基於共同利益，或共同目的、集體合作的一種組織。我們祖先的宗法社會，祇是一種民族精神所繫的代表和象徵。它以不忘民族的本來源流，傳承繼續先人的祖德，要求後世子孫的發揚光大；它既不是有一種群體法定的組織，猶如西方的社會一樣；更不是爲了一種共同的利益，達到一個政治或經濟上的目的。宗法，祇能說是傳統文化中心的「禮」的表現，這個禮，它具有相似於宗教性的，人情味的，是人類文化精神之昇華，而且是性情和理法並重的。重性情，所以推崇天然，就輕視人爲的組織。重理法，便講禮義，裁定性情，使它合於人倫群體的活動。它與西方社會的祇注重組織，是大有出入的。我認爲人世間最高的組織，是由於人與人之間眞感情的結合，所謂至性至情的流露。其次，才是如宗敎一樣的信仰，所謂崇拜的服從。再其次，才是法律和規範。至於從利害相關的集合，用權位生殺來範圍，那是等而下之，等於市場的交易而已。凡事之不近於天然法則，違反人之性情的，沒有不失敗的道理，以社會學理的歷史來講，利害相關的組織，可能在社會史上，暫時佔去時代的一頁，但決不能爭取千秋。利害組織的嚴密，無過於現在的共產黨的集團，但是依歷史法則來論斷，可以絕對相信，很快地就見到它瀕臨失敗的時候了。

至於我們歷史上的宗法社會，它的基本單位，就是家庭的家族。由家族和家族之間的結合，就是宗族。由宗族和氏族之間的結合，就是國家的社稷和宗廟。社稷、宗廟和宗祠，就是介乎人和天神之間的象徵代表，貴爲天子，還須畏懼天命，所以便當敬重社稷宗廟和山川神祇。如是普通的平民，不敬重宗族和宗祠，從禮儀爲法律的中心觀點而論，已經犯了大不敬的罪行，以傳統文化思想的觀念而論，便是獲罪於天，得罪了祖宗神祇，應該是罪無可逭，便無可祈禱之處了。可是它在禮義傳統的風俗習慣上，和國家的法律觀點上，雖然有此成法，但是並不同於西方和現代社團似的社會組織。漢唐以後的祠廟，後來通稱爲各個宗族之間的祠堂，那也並非是一種社會的組織，祇能說是民族精神的中心所繫。它相近於宗教性質，平時並無社會活動的作用，每逢歲時，便由族長率領同族中的人們，共同致祭於自己的祖先。族長雖由一族中輩分最高的出任，但是也不是由法規的組織產生，那祇是由傳統文化禮的觀念，人爲的自然推崇。如遇族中的子孫們犯了違反傳統禮義的行爲，由族長召集全族的人們，開祠堂門，拜祖宗，稟請祖先以宗法來評理，評定一事或一人的是非罪惡，也必須合乎天理、國法、人情。這也祇是秉承禮義的安排，便不同於法規紀律的性質，或是組織的制裁。鄉里之間的里正和保正，或者社董，那是清代沿用唐宋以來地方自治保甲的名稱，等於現在的鄉里長。社倉，是宋代以後爲地方儲備饑饉賑濟的福利事業，後來也有叫作義倉的。社學，是明代以後實施的鄉村國民教育。這些都如衆所週知，不能與社會這個名辭，混爲一談。再推溯到秦漢以上，講到社會政治的關係，更爲簡單，那時的文化思想，政治和教育，本來不能太過於劃分。所謂作之君，作之師，作之親；在精神上，幾乎還保有上古質樸的觀念，還是三位一體的。能夠影響地方社會之間，也祇有從禮義的傳統上，自然的敬老尊賢，秦漢時代的老和公，祇是一種尊崇敬重的稱呼，更不是社會領袖的職銜。例如左傳所稱的三老，據服虔疏引：「三老者，工老，商老，農老。」古天子有三老五更，以父兄之禮養之。

據漢高祖紀所載：「舉民五十以上，有修行，能帥衆為善，置以三老。鄉一人，擇鄉三老一人為長三老。」宋祁說：「鄉有三老，掌教化，秦制也。」兩漢都沿用這種制度，所以在我們的歷史文化上，眞難找出眞正如西方社會組織的一種社會。初有社會的規模的，祇有先秦的墨道，才略具有特殊社會的風規。其次，就是開始於唐代佛教禪宗的叢林制度，它影響元、明、清以後的歷史和社會，以民族革命爲宗旨的幫會組織。但是叢林制度，它既不同於西方的宗教社會，又不同於西方宗教的教育中心的神學院。至於幫會的組織呢？以傳統的俠義精神，和政治活動相融會，說它是爲了當時革命性的反正集團，確很正確。如果比之西方社會或流氓集團，推原它的初衷，當然也頗有出入了。

結論

倘若專講社會學而研究社會史的問題，那便立場不同，觀念有別，應該另作一種說法，也可以說：我們在近六十年來，受了西方文化思想的影響，才有社會等等問題的產生，所以理論的依據與文化思想的方向，截然各有不同。不過我祇想從觀今宜鑑古的遺訓，述說唐宋以來的叢林制度，和它如何影響後世的幫會組織；以此作爲今後我們吸收融化了東西文化，跨進新的時代，提供留心社會問題者的參考而已。

禪宗叢林制度與中國社會

／南懷瑾著

佛教原始制度的簡介

禪宗，是佛教的一個宗派，它以教外別傳，不立文字，直指人心，見性成佛爲宗旨。因爲不一定需要文字，所以傳到中國以後，就成爲中國文化式的佛教了。如果說它是佛教的革新派，那也並不準確，因爲它既沒有革個什麼，也沒有新與個什麼，它的宗旨和修行途徑，既沒有變更本來佛法的面目，也不是中國自己所創造的，祇是把印度傳來原有的佛教制度，確實痛快的改變一番，既可適合中國文化的民情風俗，又從此建立一個新型的中國佛教氣象，而且影響後世各階層的社會規範。可是它正如佛陀所教的寂默一樣，雖然在中國社會裏，作了一番偉大的事業，却仍然默默不爲人知。但就中國禪宗所創立的制度來說，它對佛法，果然作了一件不平凡的事，同時對於中國的各階層社會，也奠定了後世組織的規模。

釋迦出家以前的印度，本來也有很多其他宗教信仰，和離俗出世專修的人們，這些人都叫作沙門。等於中國古代避世的高士，我們普通稱他作隱士，史書上又稱爲隱逸的。不過我們的隱士們，不一定絕無家室之累的，至於印度的沙門，都是出家避世的人。釋迦創立佛教以後，凡是正式出家，皈依佛法的弟子們都須剃除鬚髮，身披袈裟，離情絕俗，絕無家室之累，男的，就名爲比丘、女的，名爲比丘尼。

比丘這個名稱，是包含有乞士，怖魔、殺賊等意義；所謂上乞法於佛、下乞食於人，便名乞士；同時含有能殺煩惱之賊，使魔衆怖畏的威德之意。所以嚴格遵守佛制的比丘們，大都是修習苦行，立志精勤的，其中專門注重苦修的，特別又稱爲頭陀行者。原始佛教的比丘們遵佛的戒律和制度，同時也須修習頭陀的苦行。除了應當遵守心性修養，和行爲上等等的戒律外，他又定下個人生活上衣食住行的各種制度：

衣：不過三衣。多的就要佈施了。甚之，揀拾人們拋棄了的舊布和破布，一條一條的湊成衣服來穿，這便叫做糞掃衣。傳到中國以後，便改穿中國式的大袍，也有乞化百家衣布，補破衲雜而成的，就名爲破衲衣，或補衲衣。

食：日中一食。至多是早上、中午兩餐。過了午時，便不再吃了。因爲他把飲食，祇看作爲維持生命，和醫治餓病的藥物罷了。

住：隨遇而安。屋簷，廟廊，樹下，曠野，荒塚，舖上隨身攜帶的坐具一領，或草織蒲團一個，兩足跏趺，（俗稱爲盤足）便心安理得的度此旦暮了。

行：赤足或芒鞋、光頭安祥而走。昔在印度，至多上面打了一把傘，晴遮太陽雨遮水。傳到中國，雨傘換了箬笠，所以文學家們，便有芒鞋斗笠一頭陀的頌辭了。除此一身以外，大不了帶一個淨水瓶，供給飲料和盥洗之用，一個鉢盂，作吃飯之用，其餘可能帶些經卷而已。

他們這樣的刻苦精勤，盡量放棄物慾之累，過着僅延殘命的人類的原始生活，就是爲了專志求道，表示盡此形命，揖謝世間了。雖然，他們還存有利世濟物之心，但在行爲上，却是絕對的離群出世之行，所謂頭陀不三宿空桑之下，就爲了避免對事物的留戀，這在佛學名辭上，也可以叫做捨，又可以叫做內布施。他形似楊朱的爲己，又同時具有墨子的摩頂放踵，以利天下之心。但是，也有些比丘們，同居在一起修持道業的，那便名爲僧伽，僧伽是僧衆團體的意義。其中足爲大衆師範，統率僧伽的就稱爲大和尚，或簡稱和尚。以後傳到中國，就把比丘們統名爲僧，以訛傳訛，又儱侗叫做和尚，其實一個僧與和尚，便概括了這些意義。

當漢明帝時，最初佛法傳入中國的和尚，是從印度來的兩位高僧，攝摩騰與竺法蘭。漢朝將他們安置在洛陽的白馬寺，所以中國後來的佛廟和僧居，就叫作寺和院了。其實在漢代，寺，本是朝廷（中央政府）所屬政府機關的名稱。漢書元帝紀注：「凡府廷所在，皆謂之寺。」例如鴻臚寺、太常寺等。漢、魏、兩晉，南北朝之間，西域傳道的高僧，源源東來，雖然不一定都是修習頭陀行的，但大都是嚴守戒律的比丘。嚴守戒律和遵守佛的制度，便得乞食於人，雖然也有靠信仰皈依徒衆們的供養，但是日久月長，到底還是一個問題。

(1)印度文化，向來敬信沙門，而且在中部南部一帶，氣候溫暖，野生菓木很多，乞食不到，還可隨地採而充饑，但在中國，便沒有如此容易了。

(2)中國文化的民情風俗，與印度迥然有別，除了貧而無告，淪爲乞丐的，即使如隱士之流，還是靠自己躬耕畎畝而得衣食的。

(3)中國素來以農立國，政府與社會，都很重視農耕，僅靠乞食生活，便會被視作懶漢或無用的人了。

(4)古代傳統文化的觀念，認爲人們的身體髮膚，受之父母，不可毀傷；比丘們既已剃除鬚髮，已經犯了大不敬和不孝，一般的人，已經存有歧視之心，何況還要乞食於人，那就更不容易了。

由於上述的幾種原因，隋唐以前的中國僧衆，大半都靠帝王大臣們的信仰供養，才得維持其生活。同時其中有一部分，還須靠自己募化，或其他的方式維持，所以便包含有許多事故，引起歷史政治上幾次的大反感。不過。那時候中國的僧衆，因地制宜，已經不能完全遵照原來的佛制，有的已經建築寺廟，集體同居。祇有少數專志修持，一心求道，單獨棲息山林岩阿之間，過他的阿蘭若（清淨道場）生活，其餘就需要變更方式，才能適應環境。

禪宗叢林制度的由來

到梁武帝的時代，達摩大師渡海東來，傳佛心印的禪宗法門，便是中國初有禪宗的開始。那時信受禪宗的僧人，並不太多，據景德傳燈錄所載，正式依止達摩大師得法的，也不過三、四人。其中接受大師的衣鉢，傳承心印，爲東土第二代祖師的，祇有神光一人而已。以後歷世的學人，雖然漸漸增加，但接受祖位，都是一脈單傳。傳到六代祖師慧能，在廣東曹溪大弘禪道。四方學者輻輳，禪宗一派，可謂如日之方東，光芒萬丈，衣鉢就止於六祖而不再傳了。從六祖得法的弟子很多，能夠發揚光大的，有湖南南嶽懷讓禪師，江西青原行思禪師二支。青原一支，不數傳就漸呈衰落。南嶽一支，便單祧道脈，此後就有馬祖道一禪師，大弘禪宗宗旨。因他俗家姓馬，故稱馬祖。馬祖門下出了七十二位大善知識，可為禪宗大匠的，也不過數人，其中尤以江西洪州百丈懷海禪師，稱為翹楚。改變佛教東來的制度，首先創立叢林制度的，就是馬祖和百丈師徒，而且正式垂作叢林規範的，尤其得力於百丈，所以相傳便稱百丈創立叢林。據禪門正統載：「元和九年，百丈懷海禪師，始立天下叢林規式，謂之清規。」其實，百丈師徒，正當唐代中葉（約當西曆八、九世紀之間）。佛教正式傳入中國，當在漢、魏兩晉時期，其中已經過四五百年蛻變，它被中國文化的融和，受到中國民情社會風俗的影響，制度的漸漸改變，也是勢所必致，理有固然的。在百丈以前，梁僧法雲，住光孝寺，雖已奉詔創制清規，但沒有像百丈一樣，敢明目張膽，大刀濶斧的毅然改制，定作規範。在百丈以後，更無完美的僧衆制度，能夠超過叢林制度的範圍，所以說者便裁定是百丈禪師，創建叢林制度了。

在百丈以前，禪宗的學風，大多祇在長江以南一帶流傳。最盛的區域，當在廣東、湖南、湖北、江西、福建、浙江、江蘇、四川等省，能夠北入中原的還不太多。至於黃河南北，還是停留在初期東來佛教的方式。禪宗以外的其餘宗派，以及專精佛教學理，講習經論的法師，被稱爲義學沙門的，爲數還是很盛。大凡篤信研究經論學理的人們，不是過於圓通，便是過於迂執，儘管他自己本身，也翻滾不出時代的潮流，如果有人要公開改變舊制，自然就會忿然動色的。所以當百丈創建叢林之初，就被人罵作「破戒比丘」，這也是勢所必致的了。馬祖百丈等輩，都是氣度雄偉，智慧豁達之士，具有命世的才華，擔當立地成佛的心印，他毅然改制，固然由於見地定力的超群，也是適應時勢機運的當然趨勢。

百丈以後，晚唐五代之間，禪宗本身，又有五家宗派的門庭設立，範圍僧衆的制度，大體還是遵守叢林的清規。可是在敎授方法，和行爲儀禮之間，却因人、因地、因時的不同，就各有少許出入，這種不能算是異同，祇能算是出入的儀禮和敎授法，便又名爲家風。所以後世各個叢林禪寺，各有家風的不同，一直流傳到清末民初。嚴格的說：禪寺叢林所流傳的規範，已經經過千餘年的變易，當然不完全是百丈禪師時代之舊觀了。而且江南江北，長江上游和下游，各寺都有各寺不同的家風和規矩。但推溯這個演變的源流，無論它如何變更形式，窮元探本，可以得一結論：

叢林禪寺的宗風，是淵源於叢林制度的演變。禪宗的叢林制度，是脫胎於佛敎戒律的演變。

佛敎戒律，是由釋迦年尼佛所制定的，它為了範圍僧衆集體生活，修證身心性命所建立，具有中國文化禮記中的禮儀，以及法律、與社會法規等的精神和作用。

叢林制度

中國佛教裏所謂的叢林，本來是禪宗僧衆集團的特稱，等於佛經所說的修行大衆們，叫做清淨大海衆一樣的意思。叢林不能通稱某一個寺院，某一個寺院裡的規模，可能是禪宗的叢林。明清以後，有些地方的寺院，雖然不一定是禪宗，便也隨例稱呼，叫作叢林，並無嚴格的分別了。

（一）叢林的規範

（甲）住持和尚：

他是職掌全寺的修持（教育），寺務（行政），戒律和清規（法律），弘法（佈道），經濟財務等事權，等於政府的元首，社會的領袖。他在寺內住的所在，叫做方丈，也就是佛經上說，維摩居室，僅有方丈之意，所以普通便叫一寺的住持和尚作方丈。有時也叫作住持，就是佛經上住持正法之意。禪苑清規稱尊宿住持謂：「代佛揚化，表異知事，故云傳法。名處一方，續佛慧命，斯曰住持。初轉法輪，名為出世。師承有據，乃號傳燈。」

（子）住持和尚的產生：

住持是僧衆們推選出來的，必須具有幾個條件：第一、是禪宗的得法弟子，要確有修持見地，足爲大衆師範，而且形體端正，無有殘缺。第二、要德孚衆望，經諸山長老和其他叢林的住持們贊助。第三、得朝廷官府（中央政府或地方政府）的同意。

他具備這些衆望所歸的條件，經過一次極其隆重的儀式，才得昇座作住持和尚。如果以上還有老師和尚的存在，在昇座的儀式中，還有付法、嗣法、入院、視篆等手續，才算完成接座的一幕，相等於現代的交替教育宗旨，和職位上的移交。

（丑）退院的和尚：

前任的住持和尚退位，便稱爲退院老和尚，他閒居養靜，再不問事，或者閉關專修，大體都是功高望重，修持與德操，達到圓滿的程度。他與新任接位接法的住持和尚之間，視如父子，必須極盡恭敬供養侍奉的能事，一直到了老死，務須盡到孝養，否則，會被諸山長老及僧衆們所指責的，甚之，還算是犯了清規，受到責罰。但是唐宋時代的退院高僧，多半是飄然遠引，從來不肯作形似戀棧的事。

(寅)和尚與政府的關係：

以前在中國的政治上，關於僧道制度，雖然歷代都有過不大不小的爭議，但因中國文化的博大優容，最後決議，都以師禮待遇僧道等人。雖然朝見帝王時，也不跪拜，只須合掌問訊，等於只有一揖了事。東漢時，僧尼隸屬於鴻臚寺管理。唐以後，改變自姚秦、齊、梁以來的大僧正和大僧統，設祠部曹，主管天下僧尼道士的度牒和道籙等事。祠部與僧籙司，等於現代政府的宗教司。唐代是隸屬於禮部的，唐會要稱：「則天延載元年五月十五日，敕天下僧尼隸祠部。」全國僧尼的戶籍，也隸祠部專管，並置有僧籍的專案。迨唐憲宗元和二年，在帝都長安的左右街還置有僧錄的職銜，相當於姚秦的僧正，後魏的沙門統，南齊京邑僧官的僧主。那是選拔聘請有道德學術修養的高僧，入都作僧官，主管天下僧尼道士等的事務。元代有一時期，還專設有行宣政院，以管理僧俗喇嘛及邊情等事務。明洪武時，置僧籙司，各直省府屬置僧綱司，州屬置僧正司。清代因其職稱。度牒，是政府給僧尼的證件，等於現代的文憑和身份證明書。唐代又稱爲祠部牒，它自尙書省祠部發出。道士們的度牒，又名爲籙。

叢林住持的和尙，雖然由僧衆推選產生，但是也須得朝廷或地方官的同意聘任。如果住持和尙有失德之處，政府也可以罷免他的職位，甚至，還可以追回度牒，勒令還俗，便變成庶民，像平常人一樣接受政府法律的制裁。這種制度，一直到滿清以後，才漸漸變質，不太嚴格。因爲清代在精神上，乃異族統治，變相鬆弛，是另有他的政治作用。中國歷代政權，雖然沒有像現代人一樣，有憲法規定宗教信仰的自由，可是向來都聽任自由信仰宗教的，過去政府對於僧道的措施，並不是嚴格的管理，祇是嚴整的監督。

(卯)住持和尚執行的任務：

住持在職位上，是全寺首腦的住持，由他選拔僧衆，分擔各種執事的職務，但是却叫作請職，並非分派。請職，等於說以禮聘請，並不以命令行爲。各種執事的職位，雖然由住持所請，但一經請定了，便各自執行他的職掌，秉公辦理，卽使對住持，也不能循私，因爲他們有一最高的信仰，盡心盡力，一切都爲常住，才是功德。

常住，就是指叢林寺院的全體代名辭，也就是佛經所說佛法常住之意。所以凡關於處理或決議全寺和大衆的事，住持必須請集全體執事公議以決定之，不能一意孤行，至少，也有兩序執事長老，或少數重要執事參加決定才行。因此，住持在職位上，並不像專制時代政府的主官一樣，他却像中國舊式教育的全體弟子們的嚴師一樣。因爲他所負的重要責任，便是指導全寺僧衆們的實地修行，和品行的督導，關於這一方面，他却有無上的權威，也有無限的責任感。所以古代的叢林，有些住持，根本就不問事務，他認爲執事的職掌，已經各有所司，毋須他來多管，他祇須自己努力修行，隨時說法，行其身教就是，要能不使學者走入歧途，這才是他應負的責任。

（辰）住持和尚請兩序班首執事：

住持就位，就要選請全寺的執事。所謂執事，百丈舊規，稱爲知事。班首，舊規稱爲頭首。他要選拔僧衆中才能勝任，而且足孚衆望的出任各種職司。雖然不經過選舉，但是必是大衆所諒解同意的。他要發表各位執事職司的手續時，先要徵求本人的同意，再把各執事職司的名字職位，寫在一個牌上（等於現代的公告牌），掛了出來，大家就得遵守之。須在每年正月十五、或七月十五掛牌。在請職以前，先於三五天前方丈預備了茶果，就命侍者去請某某師等同來吃茶，經過住持向他們當面請託，得到了同意，才一一由書記寫好名字職位，掛牌示衆。然後在就職那一天，午齋的時候，先送到齋堂，依次就座用膳。飯後再遶佛經行，送到大殿上，依次排列位置，再禮佛就位。晚課以後，各新請的執事，便到方丈禮座就職。住持便當面加以訓勉，告誡盡心職務，遵守清規。退而再至各老職事房中，一一拜候，便叫作巡寮。（巡寮這個名辭，在戒律上又作別論），這樣便是簡單的請職程序。請職的時候，也有請二人同任一職，互爲副助，或數人同任一職的，偶也有之。但各職執事職司，雖由住持請出，却不像上下級官吏的組織，他是平行的。可以說：祇有圓的關係，既不是上下，也不是縱橫的隸屬。他們有弟子對老師的尊敬，卻沒有下級對上級的班行觀念。

(巳)古清規的住持職司和授受程序：

①住持的日常事務（舊稱住持日用）

關於教育和說法者：

上堂。晚參。小參。告香。普說。入室。（以上統屬日常說法部份。）念誦。巡寮。肅衆。訓童行。爲行者普說。（以上統屬日常管理部份。）受法衣。迎侍尊宿。施主請陞座（說法）齋僧。受嗣法人煎點。嗣法師遺書至。（以上統屬於平常管轄的教育和事務部份。）

②請新住持的次序

發專使，當代住持受請。受請陞座。專使特爲新命煎點。山門管待新命並尊使新命辭衆上堂茶湯。西堂頭首受請。受請人陞座。專使特爲受請人煎點山門管待人並專使。受請人陞座茶湯。

③入院視篆

山門請新命齋。開堂祝壽。山門特爲新命茶湯。當晚小參。爲建寺檀越陞座。管待專使。留請兩序。報謝出入。交割砧基什物。受兩序勳舊煎點。

④退院

⑤遷化

入龕。請主喪。請喪司執事。孝服。佛事。移龕。掛眞舉哀茶湯。對靈小參奠茶湯念誦致祭。祭次。出喪掛眞奠茶湯。茶毗（火化）。全身入塔。唱衣。靈骨入塔。下遺書。管待主喪及喪司執事人。（其中火化與全身入塔及靈骨入塔，並非喪事的次序，但祇視喪事情形，任選一項。）

⑥議舉新住持

（乙）兩序執事：

住持和尚所請班首執事，等於古朝廷儀制，分文武兩班，所以便稱爲兩序。

（子）各職的班首執事：

①古清規的兩序：

西序班首：

首座。西堂。後堂。堂主。書記。知藏。參頭。祖侍。燒香。記錄。聖僧侍者。

執事：

殿主。寮元。鐘頭。鼓頭。印房。夜巡。清衆。香燈。司水。着宿。閒住。護病。打掃。行者。淨頭。

東序班首：

都監寺。監院。維那。副寺。庫頭。知衆。知客。照客。悅衆。典座。値歲。知浴。監收。衣鉢。湯藥。侍者。莊主。

執事：

化主。寮元。寮主。副寮。延壽堂主（即近代的涅槃堂主）。淨頭。米頭。飯頭。茶頭。園頭。磨頭。水頭。炭頭。菜頭。柴頭。

②兩序請職的程序：

請立僧首座。請名德首座。兩序進退。掛鉢時請知事。侍者進退。寮舍交割什物。方丈特爲新舊兩序湯茶。堂司特爲新舊侍者湯茶。庫司特爲新舊兩序湯藥。堂司送舊首座都寺鉢位。方丈管待新舊兩序。方丈特爲新首座茶。新首座特爲後堂大衆茶。住持垂訪頭首點茶。兩序交代茶。入寮出寮茶。頭首就僧堂點茶。兩序出班上香。（其餘制度，受戒，掛褡，坐禪，節臘，法器，各有一定的規矩，因爲太繁，又不關本文主要宗旨故不詳述。既如以上所列，也僅舉列它的次序名目，詳細內容，也毋須一一申述。

(丑)近代的各職班首執事：

①寺務行政方面：

監院一位，或數位。他是職掌全寺內外寺務行政，舊制稱爲寺主，他與維那，首座，爲叢林三綱職司之一。監院俗稱叫作當家師，如爲二位，便分內當家與外當家，三四五位，便分大當家二當家等等。分別管內管外，管錢管賬各等職務。如果是小叢林，大多都祇有一位。

副寺一位，或數位。他等於副當家，分理監院的事務，並執掌財務和山林田產。舊制副寺十日一算費用，記之紙端者，謂之旬單。

②經濟財務方面：

庫頭一位，或數位。舊制此即副寺的職稱，又稱謂都倉，掌出納之役。他執掌儲藏應用物品，和食糧食物財務等事，又等於現代的倉庫主管，俗稱叫作庫頭師。所有儲藏衣食等物，都應負保管、保養、防護、晒洗等責任。據清規的記載：「其上下庫子，須擇有心力，能書算，守己廉謹者為之。」又云：「副寺者，古規曰庫頭，今諸寺謂櫃頭，北方稱財帛，其實皆一職也。」

③監察方面：

都監一位。舊制稱為都寺，別名都管。他負責監察寺務行政、經濟、人事等事、大多任此職者，都聘請前任監院任之。後世把這一職務，也有變成了閒曹，等於政府的昇遷，同時又相似降職。舊制它的職位，在監院之上，因都總諸監寺故名都監，又叫作都總，又叫都守。

④應接及外務方面：

知客一位或二三位，舊制又統稱謂典賓、知浴、知庫、知殿等。他對外執掌待客應酬，負責交際等事務，並接受替人唸經作佛事等事，如為兩位，便分別叫作大知客，二知客。所以知客師一席，又等於是外當家，或副寺，每日來往的收入，到了晚上，便統計交與庫房。庫房存款有餘，便交方丈處理，現代便有轉存於銀行的。而且必須選拔德威並濟，才能幹練的擔任，每每注重修持節操的，便推辭避免這個位置。但遇無其他適當人選，又必須為了常住，而發心擔任之，等於爲了大衆必要，願來跳火坑一樣。

照客二位或數位，舊制稱爲請客侍者，或客頭行者。隸屬於知客之下，輔助知客，聽其指揮作事，亦有選青年沙彌，聰明伶俐者任之。

⑤**敎育方面**：

首座一位，舊制也有稱謂座元，乃僧堂的元首之意。與監寺、維那、統稱爲三綱之一。他輔助和尚弘宗說法，大多是諸方公認的善知識，或在和尚的得法弟子中選有高深造就者任之，同時也可作和尚的儲貳。他可代住持秉拂子上法座，開示大衆，舊制和前堂首座，後堂首座，東藏主，書記，又稱秉拂五頭首，爲各有秉拂之資格者，故又統稱作秉拂寮。舊制有前堂首座，後堂首座，立僧首座，名德首座，却來首座等各項分別職司。

堂主，後堂，西堂，都可以請一位或數位任之。舊制的堂主是一通名，例如水陸堂主，羅漢堂主，延壽堂主，都自各守一堂，雖然叫作堂主，並非如後代的專指禪堂的堂主，這裏所稱的，都是屬於專管禪堂清修的堂主，舊制稱方丈和尚，也有便稱為堂頭和尚。堂主乃主持僧衆實地修行的禪堂指導者，同時亦可代理和尚說法，所以後世便把堂主說法，也叫作小參。堂主必須選有眞實修持，有實際學問修養者任之。近代的制度，堂主進陞為後堂，後堂進陞為西堂，西堂進陞為首座。首座可以代理和尚上殿，過堂，說法等事務。堂主們年老退職閒居，便可以不問寺務了。

禪堂內，又有監香，悅衆，及單頭等職司。舊制單頭又稱爲寮長，也叫作席頭。

書記一位，或數位。他執掌文墨，等於行政機關的秘書長，凡有關於寺務的文牘，都由他職掌，舊制寫作佛事文書例如疏啓一類，多採用四六字句的駢文體，這個職位，後代又改變有寫法書記的名稱。他等於中國古代帝王左右的史官，所謂左史記行，右史記言一樣，他集二者於一身，書寫記載住持和尚的說法的法語和言行，故須選善於文翰者任之。又有把這個職位，用作犒賞勞職之用，選擇清衆當中，有多年苦行的任之，使他得到一個獨居靜處的寮房。書記可進陞爲堂主，舊制也又有稱爲記室的。

⑥**紀綱司法方面**：

維那一位，乃全寺三綱之一。與監院，首席並列爲上首。綱卽綱維之意，就是綱領寺內維持佛寺者。禪宗與律宗，都稱維那，敎宗便稱謂都維那。舊制又別稱爲次第、知事、悅衆、寺護等名。其實，維那一辭，實在出於律部的名稱，僧史略謂：「東西域知事僧，總曰羯磨陀那（卽梵語羯磨師之別譯，）譯爲知事，亦曰悅衆，謂知其事，悅其衆也。」大凡誦經誦律，舉行佛事，都由他領頭，或僧衆犯戒，觸犯叢林淸規，也由他執行，如擯斥出院等。（戒律叫斥逐作擯，叢林術語，便叫作遷褡，訛作遷單，就是趕出三門的代語。）維那的別稱，又名叫做堂司，或用堂司直接名其所居住的寮舍，或作爲直接名其職位的，又有一名，便叫作紀綱寮。

⑦方丈侍者：

侍者數位，以其親近於長老左右而任調遣者，故稱侍者。舊制有五侍者，或六侍者的不同。有香侍者，侍狀侍者，侍客侍者，侍藥侍者，侍衣侍者，這叫五侍者。巾瓶侍者，應客侍者，書錄侍者，衣鉢侍者，茶飯侍者，幹辦侍者，這叫作六侍者。後世以衣鉢侍者，等於管理方丈中的總務侍者。書寫侍者，後世又稱爲寫法侍者，記錄摭拾住持和尚的開示法語，是由他記寫懸牌示衆的。他們侍候和尚，等於方丈的侍從，多選和尙的入室弟子任之，也是淸高的職司。佛經稱侍者應具八法：所謂「㈠信根堅固㈡其心覓進㈢身無病㈣精進㈤具念心㈥心不憍慢㈦能成定意㈧具足聞智。」總之：此輩必須爲法忘軀，智行嚴密，不負法乳之託的方可任之。

⑧總務方面：

典座一位，他執掌日常事務，猶如現代的總務庶務等業務。臨濟錄冠註謂：「百丈清規有典座無飯頭，此典座也。典座者，職掌大衆齋粥一切供養。」僧堂清規謂：「此職主大衆齋食，故時時改變食物，大衆受用安樂為妙。」後世也有改爲執掌內務之職的。

僧值一位。這是一年的值事僧，每年輪流當值，由各執事更換任之。

飯頭一位。專管作飯。僧堂清規稱：「此職與典座分勞，掌粥飯，常與藥頭，監糧等和合而護惜常住，其用心與典座同，愼飯糧之過不足，宜常熟讀典座寶訓。」

火頭一位，專管司爨。

園頭一位，專管種菜。

菜頭一位，專管煮作蔬菜。

行頭數位，專管齋堂執役。

其他柴頭。炭頭。桶頭。水頭。磨頭。茶頭。鍋頭。

則因時因地各有不同，或有或無，並不一律。

淨頭一位，專管廁所的衞生清潔。往往也有首座班首及僧衆，自動請求擔任，認爲乃懺罪立德的好事。也有叫做園頭的，舊制又稱謂東司。

莊主一位，或數位。如另外有田產的大叢林，就設有此職，專管佃戶收租等事，俗稱叫外當家，轄有監收主等數位。

巡山寮主一位或數位，專管培養保護山林並防護盜賊等。如在深山大寺，都設有此職。普通寺院，不一定有的，大多選孔武有力者任之。如設有此職寮之處，則園頭，柴頭便歸此寮。

如屬有小庵，便有住庵的庵主。有塔，便有守塔的塔主。

打鐘的稱鐘頭。擊鼓的稱鼓頭。也都各有專司。

⑨清要的職務：

藏主一位，舊制稱謂知藏。他是專管藏經及圖書的職位，等於現代的圖書館長，及圖書管理員，往往選學養兼優的人任之，也可以並在書記寮內。大寺中每每專有藏經樓的建築，故此職極為重要。

殿主一位。香燈數位。專管大雄寶殿的佛前內外事務的，叫作殿主，有香燈一人輔之。其他各殿，也有各殿的香燈，却不叫殿主，舊制却並在堂主寮內。如涅槃堂主(舊稱延壽堂主),羅漢堂主等。涅槃堂,律宗曰無常院,或無常堂。禪宗曰涅槃堂,或延壽堂,乃置臨命終時的病僧,使觀無常之所也。

化主一位或數位,他專管出外遊方宣化,以募化所得,供養全寺大衆生活,及作叢林常住的資產。化緣所得的款項賬目,一切交付知客、庫頭、登記賬册,轉交住持處理。化主每每可以終年遊方外出,比較淸閒。

⑩執掌勞役的僧衆:

執役僧若干人,擔任勞動雜役的事務,往往皆由自動發心,請求執行苦役藉以自勵德行的。此中每多賢者,並且大多是不求人知的,傳燈錄載:「溈山在百丈會下作典座,又令遵有𥫗籬木杓分付與典座語。」五燈會元載：「雪峯在洞山作飯頭。慶諸在溈山為米頭。道匡在招慶為桶頭。灌溪在末山為園頭。紹遠在石門為田頭。智通在溈山為直歲。曉聰在雲居為燈頭。嵇山在投子為柴頭。義懷在翠峰為水頭。佛心在海印為淨頭」此類都是苦行勞役之職，如作典座者，更爲普遍。昔年筆者參學諸方時，曾有詩云：「靈鷲風高舊跡登。禪參北秀與南能。當時行腳江湖日，遍訪名山苦行僧。」這便是嚮慕苦行僧中的德操，所以作此感懷。

（寅）班首執事與江湖清衆：

凡是住持和尚以次的各班首執事，大多都有單獨的寮房。如果房間不夠分配，也視職位的清要與否，間或一二人兼并一間的。其餘的僧衆，無論住禪堂或掛褡，就統名叫作清衆。後世因爲佛教的普及，爲了響應普通民間社會信仰的需要，也有被請去外面唸經作佛事的必要，這也同時是全寺和僧衆們的公私收入，所以便有專爲應酬唸經拜懺的一班僧衆，普通把他有別於專門淸修的清衆，便叫做應門。當清末民初，在閩浙一帶，一般習慣叫他爲應門的和尙，這可能就是應化僧的訛傳了。

十方掛褡的雲水寮，舊制叫作江湖寮，又名謂衆寮，這是專指往來四方，參學雲遊的掛褡僧寮。禪門相傳，江湖乃江西湖南之意，因唐時參禪的僧衆，不到江西馬祖處，便到湖南石頭處，往來憧憧，都湊集在二大師之門，故便稱謂江湖僧衆。據文選註：謂今言江湖者，江外湖邊，本是隱淪士所處。如蓮社高賢傳周續之曰：「心馳魏闕者，以江湖為桎梏。」駱賓王序曰：「廊廟與江湖齊致。」范希文嚴先生祠堂記曰：「既而動星象，歸江湖。」等說是也。其實，江湖的原意，出於莊子，乃指隱淪的風尚，如云：「泉涸，魚相與處於陸，相呴以濕，相濡以沫，不如相忘於江湖。」

(卯)叢林清規的古今異同：

自百丈清規以來，及今千有餘年，何況原始規範，早已失傳，後世傳至近代的叢林規矩，多有非舊時面目者，也就不足以為怪了。當元順帝至元四年，敕百丈山德輝禪師選修百丈清規八卷行世，就詔天下僧人，悉依此清規而行。到了明朝，屢次下敕不入此清規者，就以法律繩之，後世便遵此為準。清代道光三年，有源洪禪師著百丈清規證義十卷行世，便為定本。其餘則因時因地的不同，就各自別有出入。近世以來，所行有不同於舊制者更多，實亦時勢所趨使，有不得不變的苦衷，但也有由於不知所本，妄加師心自用的確亦不少，如源洪禪師稱：「清規面目，有古今不同者，如古稱頭首，今名首座，或號座元。古稱監寺，今名監院，以及書狀，改名書記。僧堂改名為禪堂之類。俱改其名而不改其義。又規條中古有而今無者，如點茶抛香之類。古無而今有者，如祖忌、增百丈等，水陸增棲等及不許吃煙之類。」

總之：任何一種社會，最初總很簡單。時代愈向後推，情形也愈複雜，所以規矩也就增加更多。百丈原始清規，雖然已經失傳，但宋人楊億的序文至今還在，他所述的原始情形，當然比較後世簡樸的多，如稱：「所裒學衆，無多無少，無高下，盡入僧堂，依夏次安排，設長連床，施椸架，掛褡道具。臥必斜枕床脣，右脇吉祥睡者；以其坐禪既久，略偃息而已。」他又述說百丈清規的目的，如稱：「㈠不污清衆，生恭信故。㈡不毀僧形，循佛制故。㈢不擾公門，省獄訟故。㈣不泄於外，護宗綱故。」由於楊億的序文，和慈覺大師的龜鏡文看來，當時他所注意的重心，確實祇重在流傳到今世的禪堂。但是後世的叢林規矩，除了少數幾個大叢林以外，却都以此爲範圍僧衆的儀軌，反視禪堂爲附庸了，甚矣！禪宗的衰落，也是事有固然的了。

(二)叢林的風規

(子)身份平等，集團生活。

唐、宋時代，正當禪宗鼎盛的時候，大凡出家爲僧的，不外四種情形：

①部分研究佛學經論的稱爲義學比丘們，有的是因政府實行佛經的考試既經錄取，便由朝廷賜給度牒出家的。

②自動發心，離群求道，請求大德高僧剃度的。

③朝廷恩賜，頒令天下士庶，自由出家的。唐時，政府有幾次爲了財政的收入，還有鬻賣度牒，聽任自由出家的。

④老弱鰥寡，無所歸養而出家的。在這四種情形當中，如有未屆成年想求出家者，依佛的戒律，還須得父母家族的同意，才能允許出家。

既經出家受戒，取得度牒以後，就可往叢林討褡長住。討褡大約分作兩種，各有不同的手續：

①普通少住數日或一短時期的，便叫做掛褡（俗作掛單或掛褡）。掛褡的僧衆，爲慕某一叢林住持和尚的道望，遠來參學，或是遊方行脚經過此處，但都須先到客堂，依一定的儀式

，作禮招呼，依一定的儀式放置行李，然後由知客師或照客師依禮接待，並依一定的禪門術語，詢問經過，旣知道了他掛褡的來意，便送進客房，招呼沐浴飲食。普通僧衆住的客房，術名叫寮房。接待遊方行脚僧的，又叫做雲水寮。唐宋時代，舊稱通叫做江湖寮。最普通的過路掛褡也要招待一宿三餐，等於歸家穩坐，絕無歧視之處。如遇參學遊方的，有些比較大的叢林，在他臨行時，還要送些路費，叫做草鞋錢。倘要久住些的，便要隨大衆上殿唸經，參加做事，雖然居在客位，勞逸平均，仍然不能特別。

②要想長住的，便叫作討褡。要住進禪堂內修學的，便叫作討海褡。討了海褡、就算本寺的正式清衆了。這必須要先掛褡，住些時日，經過知客師及各執事們的考查，認爲可以，才能討得海褡長住，舊制稱爲安褡。常住的僧衆，每年春秋

兩次，各發一次衣布，或衣單錢，以備縫製衣服之用。除了施主的佈施以外，常住每季，還發一次零用錢，也叫做襯錢。

凡是已經受戒，持有度牒，而且是常住的大衆，身份與生活，便一律平等，上至住持和尚，下至執勞役的僧衆，都是一樣。對於衣、食、住、行方面，都要嚴守佛家的戒律，和叢林的清規。如果犯了戒律和清規，輕則罰跪香或執苦役，重則依律處罰或擯棄，便是俗稱趕出三門了。

衣

普通都穿唐、宋時代遺制的長袍，習禪打坐也是如此。作勞役時便穿短掛，這些就是留傳到現在的僧衣。遇有禮貌上的必要時，便穿大袍，現在僧衆們叫它爲海青。上殿唸經，禮佛，或聽經，說法的時候，便披上袈裟。中國僧衆們的袈裟，都已經過唐、宋時代的改制並非印度原來的樣式。到了現在，只有在僧衆的長袍大掛上，可以看到中國傳統文化，雍容博大的氣息，窺見上國衣冠的風度。僧衆們的穿衣，摺疊，都有一定的規矩、都是訓練修養有素，就是千人行路，也難得聽到衣角飄忽的風聲。

食

依照佛教的戒律，每日只有早晨、中午兩餐，爲了種種正確的理由，過午便不食了。食時是用鉢盂，以匙挑飯，並不像印度人的用手抓飯來吃。但到了中國，已經改用碗筷，和普通人一樣。不過，完全實行大乘佛教，一律終生素食，而且是過午不食的。除了少數擔任勞役的苦役僧，因恐體力不濟，晚上一餐，還祇是作醫治餓病之想，才敢取食。凡吃飯的時候，一律都在齋堂（食堂），又叫作觀堂，是取佛經上在飯食時，作治病觀想，勿貪口腹而恣慾之意。這個規矩，大家必須一致遵守，雖上至住持和尚，也不能例外設食，這就名爲過堂。如有外客，便由知客陪同在客堂吃飯，住持和尚於不得已時，也可以陪同客人飯食。大衆食時都有一定的規矩，雖有千僧或更多的人，一聽雲板報響，便知已經到了食時。大家穿上大袍，順序排列，魚貫無聲的走入膳堂，一一依次坐好。碗筷菜盤，都有一定次序放置。各人端容正坐，不可隨便俯伏棹上。左手端碗、右手持箸，不得有飲啜嚼吃之聲。添飯上菜，都有一定的規矩，另有執役僧衆侍候，不得說話呼喊。齋堂中間上首，便是住持和尚的坐位，住持開始取碗舉箸，大家便也同時開始吃食了。等到全體飯畢，又同時寂然魚貫回寮。住持和尚如有事情向大衆講話，正當大衆飯食之時，他先停止吃飯，向大衆講話，這便名爲表堂。

每逢月之初一、十五便加菜勞衆。或遇信衆施主齋僧布施，也要加菜的。

住

在禪堂專志修習禪定的僧衆，便名爲清衆，旦暮起居，都在禪堂。其餘各人都有寮房，有一人一間，或數人一間的，依照佛教戒律和叢林規矩，除早晚上殿唸經作功課，以及聽經聽法以外，無事寮房靜坐，不得躦寮閒談，不得閒遊各處，無故不得三人聚論及大聲喊叫。如遇住持和尚或班首執事，以及年長有德者經過，就必肅然合掌起立，表示問訊起居。

行

各人行走，或隨衆排列，必須依照戒律規矩，兩手當胸平放，安祥徐步，垂臉緘默，不得左顧右盼，不得高視濶步。如要有事外出，必須到客堂向知客師告假，回寺時又須到客堂銷假，不得隨便出外。卽使住持方丈，或班首執事出寺入寺，也須在客堂說明，告假幾天，同時還須向佛像前告假和銷假。其餘生活各事，如沐浴，洗衣、各有規定。病時大叢林中，自有藥局處方，告假居房養息，不必隨衆上殿過堂。倘若病重，進住如意堂，便有自甘執役護病的僧衆來侍奉，如意堂，也就是舊制的安樂堂。死了，便移入涅槃堂，舉行荼毘（俗名遷化），然後收拾骨灰，裝進靈骨塔（卽俗稱骨灰塔）。

總之：真正的叢林集團生活，絕對是作到處處平等，事事有規矩。由一日而到千百年，由管理自己的身心開始，並及大衆，都是循規蹈矩。至於詳細細則，還不止此。所以宋代大儒程伊川，看了叢林的僧衆生活，便嘆說：「三代禮樂，盡在是矣。」

（丑）勞役平等，福利經濟。

百丈創制叢林，最要緊的，便是改變比丘，不自生產，專靠乞食爲生的制度。原始的佛教戒律，比丘不可以耕田種植，恐怕傷生害命，那在印度某些地方，可以行得通，到了中國，素來重視農耕，這是萬萬行不通，而且更不能維持久遠的。所以百丈不顧別人的責難，毅然建立叢林制度，開墾山林農田，以自耕自食爲主，以募化所得爲副。耕種收穫，也如普通平民一樣，依照政府法令規定，還要完糧納稅，既不是特殊階級，也不是化外之民。平日於專心一志修行求證佛法以外，每有農作或勞動的事情，便由僧値師（發號司儀者）宣佈，無論上下，就須一致參加勞動。遇到這種事情，叢林術語，便名爲出坡，舊制叫作普請。出坡的時候，住持和尚，還須躬先領頭，爲人表率。百丈禪師到了晚年，還自己操作不休，他的弟子們，過意不去，就偷偷地把他的農作工具藏了起來。他找不到工具，一天沒有出去工作，就一天不吃飯，所以禪門傳誦百丈高風，便有：「一日不作，一日不食」之語，並且以此勉勵後世，由此可見他人格偉大的感召了。現代的虛雲和尚年屆一百二十歲，還是身體力行，終生奉此不變的。

叢林的經濟，一切收入與支出，要絕對公開，術名便稱爲公衆。收入項目，悉數都爲全寺大衆的生活，盡量爲大衆謀求福利，還有盈餘，便添購田地財產，希望供養更多的天下僧衆。一班執事等人，多半公私分明，絕對不敢私自動用常住一草一木，因爲僧衆們在制度以外，更是絕對信仰因果報應的。平時經常傳爲寶訓的，便有：「佛門一粒米，大如須彌山。今生不了道，披毛帶角還。」因此，他們對於在禪堂裏眞實修持的僧衆，都是極力愛護，不肯使他們受到絲毫驚擾，希望他們成道，以報天下、國家、社會上和施主們的恩德。從前有一位寶壽禪師，在五祖寺庫房執事，那時的住持和尙戒公，偶然因病服藥，需用生薑，侍者就到庫房裏取用。寶壽便叱之使去。戒公知之，令拿錢去回買，寶壽才付給他。後來洞山缺人住持，郡守來信，託戒公找人住持。戒公便說：那個賣生薑的漢子去得。他便去作洞山的住持。所以後世有「寶壽生薑辣萬年」的句子，相傳爲禪門的佳話。民國三十年間，筆者在成都的時候，見過一位新都寶光寺的退院老和尙，其人如蒼松古柏，道貌岸然可敬。住持大寺數十年，來時祇帶一個衣裳包袱，退位的時候，仍然祇帶這個破包袱。對於常住物事從來不敢私用分毫，自稱德行不足以風衆，揹不起因果。相對數言，便令人起思古之幽懷，這便是叢林大和尙的風格。

（寅）信仰平等，言行守律。

所謂叢林，顧名思義，是取志在山林之意，其實，它具有此中明道修行者，有如蔴似粟、叢集如林的意思。他們都是堅定的信仰佛教的佛法，尤其更信仰禪宗心地成佛的法門。要住叢林，便是爲了專心一志的修證心地成佛法門，所以他們除了恪守叢林的清規以外，在寺內更篤守佛教的戒律。相傳過去天台國清寺有一得道高僧，已經有了神通。有一天晚上，在禪堂裏坐禪，下座的時候，他偷偷問隔座的僧衆說：你的肚子餓了嗎？大家不敢答話。有一僧說：餓了怎麼辦？規定大家過午不食，誰又敢去犯戒？卽使要吃，厨房裏都沒有東西，那裡有吃的呢？他說：不要緊，你要吃，我替你弄來，厨房裡還有鍋粑呢！他說了，便伸右手入左手的袖子裡，一會兒，就拿出一大把鍋粑來請這僧吃。這時，那個住持和尙也有神通的，他嚴守戒律，決不肯輕現神通。到了次日清晨，住持和尙便向大衆宣佈，昨天夜裡，禪堂裏有兩位僧人犯戒，依律擯斥出院。那個有神通的僧人便伸手拿起包袱，向住持拜倒，自己承認犯戒，由此就被趕出三門了。南宋時，大慧宗杲禪師，他未經得法時，依止湛堂禪師，有一天，湛堂看了他的指甲一眼，便說：近來東司頭的籌子，不是你洗的吧！他便知道師父是責他好逸惡勞，立卽剪去養長了的指甲，去替黃龍忠道者作淨頭（淸除厠所）九個月。由於這些例擧的一二操行，就可知他們的規矩和戒律，言行和身教，是多麼的自然和嚴整啊！

(卯)衆生平等，天下爲家。

佛教的宗旨，不但視人人爲平等，它確要做到民胞物與，視一切衆生，都是性相平等的，爲了適合時代和國情，他創立了叢林制度，從表面上看，叢林的淸規與佛的戒律，似乎不同。實際上，淸規是以佛的戒律作骨子的，所以他的內部，仍以嚴守戒律爲主。卽如舉足動步，也不敢足踏螻蟲螞蟻，何況殺生害命。因爲他的信仰和宗旨，是慈悲平等的，所以叢林便有天下一家的作風。僧衆行脚遍宇內，不論州縣鄉村，祇要有叢林，你能懂得規矩，都可掛褡安居。此風普及，及至鄉鎭小廟，或是子孫私產也都可以掛褡。從前的僧衆們，行脚遍天下，身邊就不需帶一分錢。旣使無寺廟可住，大不了，樹下安禪也可過了一日。元、明以後，佛道兩家好像各有宗教信仰的不同，在某些方面，又如一家。例如道士，到了沒有道觀的地方，可以跑到和尙寺裡去掛褡。和尙也是如此，必要時可以跑到道觀裡去掛褡。每遇上殿唸經的時候，也須隨衆照例上殿，不過各唸各的經，祇要守規矩，便不會對他歧視的。僧尼之間，事實上，也可以互相掛褡。不過，其中戒律和規矩更要嚴些。例如男衆到女衆處掛褡。淸規嚴格的寺院，就祇能在大殿上打坐一宵。稍稍通融的，也祇能在客房一宿，決定不可久居。女衆到男衆處，也是如此的。俗人求宿寺院，便不叫做掛褡，佛門以慈悲爲本，有時斟酌情形，也可以收留的。唐、宋時代，許多出身貧寒的讀書人，大都是寄居僧寺讀書，例如鄴侯李泌等輩，爲數確也不少。至於唐代王播微時，寄讀揚州僧寺，被主僧輕視，故意在飯後敲鐘，使他不得一餐，便題壁寫詩云：「上堂已了各西東，慚愧闍黎飯後鐘。」後來他功名成就，復出鎮是邦，再過此處，看到昔日的題句，已被寺僧用碧紗籠罩起來，他便繼續寫道：「二十年來塵撲面，如今始得碧紗籠。」這些事情總有例外的，也不能以偏概全，便視僧衆都是勢利的了。

最低限度，也可以說：有了叢林制度以後，確實已經替中國的社會，做到收養鰥寡孤獨的社會福利工作，使幼有所養，老有所歸，這是不能否認的事實。宋仁宗看見叢林的生活，不勝羡慕它的清閒，便親自作有讚僧賦。相傳清代順治皇帝，看了叢林的規模，便興出家之想，他作了一篇讚僧詩，內有：「天下叢林飯如山，鉢盂到處任君餐。朕本西方一衲子，如何落在帝王家。祇因當初一念差，黃袍換却紫袈裟。」等句，也有人說，這是康熙作的，眞實如何，很難考證，但由此可見禪門叢林，是何等氣象了。

（三）叢林以修持爲中心的禪堂

（子）禪堂的規模：

百丈創立叢林，最重要的，他是爲了眞正建立了禪宗的規範。由於這種制度的影響所及，後世佛敎的寺院，不論宗於何種宗派，大多數都有加上禪寺名稱的匾額，而且因爲禪僧們的簡樸，一肩行脚，背上一個蒲團，芒鞋斗笠，就可走遍天下名山大川。大家景仰他們的苦行，所以青山綠水之間，不斷的建築起禪寺了。但眞正的禪門叢林，它的主要目的，不止在於創建寺院，都在於有一座好的禪堂，可以供養天下僧衆，有個安身立命、專志修行的所在。唐、宋、元、明、淸以來，國內有的叢林裡的禪堂，可以容納數百人到千餘人的坐臥之處，每人一個鋪位，可以安禪打坐，又可以放身倒臥。各個鋪位之間，又互相連接，所以古人又叫它作長連床。但每一座位間，必須各記自己的姓名，張貼於坐席之間。全寺的僧人，常住經常也備有登記簿，俗名叫作草單，術名叫作戒臘簿，也等於現代的戶口簿。整個禪堂光線明淡，調節適中，符合簡單的生活起居，適應方便。祇是古代的建築，不太注重通風設備，對於空氣的對流，比較差些。禪堂四面，都做成鋪位，中間完全是個大空庭，需要作大衆集團踱步行走之用。這種踱步，便是佛經所說修禪定者的適當活動，叫作經行。叢林裡便改作行香與跑香了。所以禪堂中心的空間，便要能夠容納內部數百或千餘人的跑步之用，行香與跑香，都照圓形活動。不過必要時，還有分成兩個圈子或三個圈來跑，老年體弱的，不可以走外圈。少壯健康的，就走外面的大圈子。

(丑)禪堂裡的和尚：

禪堂既然爲禪宗叢林的中心，等於現代語所說的，是個教育的中心了。那麼，應該是最富於佛教色彩的所在，事實上，並不如此；它却正正眞眞表示出佛法的眞精神，不但完全解脫神秘和迷信，而且赤裸裸的表達出達摩大師傳佛心印的宗旨。原來禪堂裡，不供佛像，因爲禪宗的宗旨，「心卽是佛。」又是，「心、佛、衆生，三無差別」的。又，「不是心，不是佛，也不是物」的。那它究竟是個什麼呢？可以說：它是教人們明白覺悟自己的身心性命之體用，所謂本來面目，道在目前，就在尋常日用之間，並不是向外求得的。後世漸有在禪堂中間，供奉一尊迦葉尊者的像，或達摩祖師的像。禪堂的上位（與大門正對的），安放一個大座位，便是住持和尚的位置，和尚應該隨時領導大家修行禪坐，間或早晚說法指導修持。所以住持和尚一定要選任曾經悟道得法的過來人，確能指導大家修證的大善知識了。心卽是佛，和尚便是今佛，住持也便是中心，所以有時稱他作堂頭和尚。如住持和尚因故不能到禪堂參加指導，輔助住持的督導修持，就是禪堂的堂主，與後堂西堂等，這幾個位置是設置在左排進門之首的。此外，還有手執香板，負責督察修持的，叫做監香，他和禪堂裡的悅衆，都是負責監督修持用功之責的。悅衆和監香，也有數人任之的。香板，古代乃是竹杖，一端包了棉花和布，做爲警策之用，這是佛的舊制，稱謂禪杖。後世改用爲木板，作成劍形，叫做香板。其餘，還有幾位專門供給茶水的執役僧，有時或由新出家的沙彌們任之。

（寅）禪堂的生活：

顧名思義，所謂禪堂，就是供給僧衆們專門修持坐禪的地方。他們爲了追求實現心地成佛的最高境界，一面離塵棄欲，決心絕累。一面又須苦志精勤，節操如冰雪。甚之畢生埋首禪堂，一心參究，縱然到死無成，仍然以身殉道而不悔者，比比皆有。凡是住在禪堂裏的人，飲食起居生活，一律都須嚴守淸規的紀律。淸晨三四點鐘就要起床、盥漱方便以後，就上座坐禪。因爲古代沒有時鐘，每次坐禪，就以長香一炷爲標準，大約等於現在時鐘的一點半鐘左右。下座以後，就須行香，大家依次排列，繞着禪堂中間來回行走，身體雖然鬆散，心神却不放逸

近代禪堂坐位簡圖

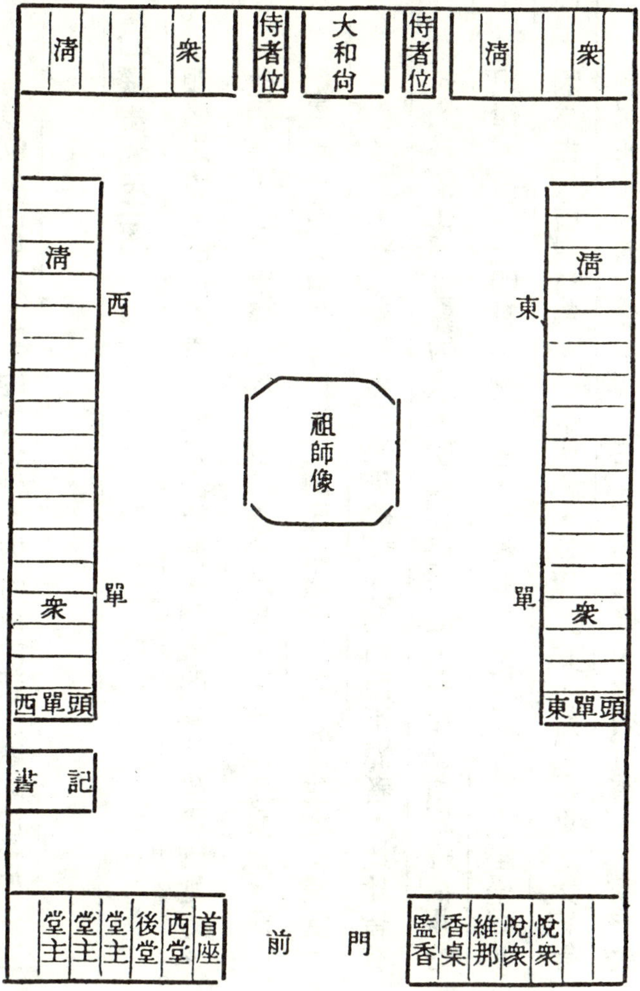
清
衆
侍者位
大和尚
侍者位
清
衆
清
西
單
衆
西單頭
書記
清
東
單
衆
東單頭
祖師像
堂主
堂主
堂主
後堂
西堂
首座
前門
監香
香桌
維那
悅衆
悅衆

。這樣又要走完一炷香，就再上座。飲食、睡眠、大小便，都有劃一的規定。如此行居坐臥，都在習禪，每日總以十支以上長香爲度。如逢冬日農事已了，天寒地凍，更無其他雜務，便又舉行尅期取證的方法，以每七日爲一週，叫做打禪七或靜七。在禪七期中，比平常更要努力用功參究，往往每日以十三四支長香，作爲用功的標準。大約睡眠休息時間，晝夜合計，也不過三四小時而已。後世各宗，鑒於這種苦修方法的完美，也就興起各種七會，如念佛七等等。他們有這樣苦志勞形，精勤求道的精神，日久月長，無疑的，必能造就出一二超格的人才。每逢舉行禪七的時期，和尚要請職擔任禪堂裡的監香職位時，也和請叢林班首執事一樣的過程，茶聚商託以後，掛牌送位，都如請執事一樣的儀式。不過送位祇是送禪堂裏的坐香位子，因爲重心在於禪堂。監香也有同時請七八位，輪流擔任，以免過於疲勞。禪宗雖然只重見性明心，立地成佛的頓法，並不重禪定解脫的修行法門。但是遠自印度的釋迦牟尼，以及傳來中國以後，從古至今，沒有那一位祖師和禪師，不從精勤禪定，專志用功中得成正果的。每年初夏，便依律禁足安居三月，又謂之結夏。到了舊曆七月十五日圓滿，也謂之夏滿，或稱謂解夏。所以從前問出家爲僧的年齡若干，便請問他夏臘多少。所以叢林禪堂，制立如此風規，恰是佛法的眞實正途，俗話說：「久坐必有禪」，這也不是絕無道理的。到了兩宋以後，許多大儒，都嚮往禪堂規模和教育方法，抽樑換柱，便變成儒家理學家們的靜坐、講學、篤行、實踐等風氣了。禪堂的門口，簾幕深垂，一陣陣的飄出裊娜的爐香，當大家上座坐禪的時候，普通叫作收單，門口便掛上一面止靜的牌子。這時，外面經過的人，輕足輕步，誰也不敢高聲談論，恐怕有擾他們的清修。到了休息的時候，門口換掛一面放參的牌子，才可以比較隨便一點，普通又名爲開靜。

（卯）禪堂內外的教育方法：

叢林既以禪堂爲教育的中心，那就天天必有常課了。誠然，他們的常課，便是眞參實證，老實修行本分下事，却不是天天在講學說法的。因爲在禪宗門下，認爲講習經論，那是屬於義學法師們的事，他們重在老實修行。遇到晚上放參的時候，住持和尚蒞臨禪堂，說些用功參禪的法門，或者有人遇到疑難，請求開示，便隨時說法指導，這樣就叫做小參。後世風規日下，有時住持和尚偸懶，便請堂主升座說法，這也叫作小參。倘有正式說法，在禪堂以外，另外還有一座說法堂，簡稱法堂，依照一定的儀式，禮請住持和尚昇座說法。這時大都是鳴鐘擊鼓，依照一定的隆重儀式，通知全寺的僧衆，臨場聽法的，儀式的莊重，和大衆的肅然起敬，恰恰形成一種絕對莊嚴肅穆的宗教氣氛，可是禪宗住持和尙說的法，却不如講經法師們，一定要依照佛經術語的法則來講，也不是祇作宗教式的佈道。他是隨時隨地，把握機會教育的方針，因事設教，並無定法的。弟子和書記們，老實記載他的說法講話，便成爲後世的語錄一類的書了。如果有時講解經論，又須另在講堂中舉行。對於專門講解經論的法師，便稱爲座主。叢林的修行教育，固然以禪堂爲中心，但作爲導師的住持和尙，對於全體篤志修行的僧衆們，却要隨時隨地注意他們修持的過程和進度，偶或在某一件事物，某一表示之下，可以啓發他智慧的時候，便須把握時機，施予機會教育。這種風趣而輕鬆的教育法，在高明的禪師們用來，有時會收到很大的效果，可能對於某一個人，便由此翻然證悟的。既或不能達到目的，有時也變成很幽默的韵事了。後世把這種事實記載起來，便叫作公案。理學家們便取其風格，變稱學案。那些奇言妙語，見之於後世的語錄記載裡的，便叫做機鋒和轉語。由此可見作一位住持叢林的大和尚，他所負的教育責任，是何等的重要，佛經所謂荷擔如來正法，正是大和尚們的責任所在。所謂荷擔，也就是說繼往開來，住持正法眼藏，以繼續慧命的事。唐、宋之間，有些得道高僧，自忖福德與智慧、才能和教導，不足以化衆的，便往往謙抑自牧，避就其位了。

(辰)禪堂的演變：

元明以後，所謂禪寺的叢林，漸漸已走了樣，同時其他各宗各派，也都照禪宗叢林的規矩興起叢林來了。在其他宗派的叢林中，禪堂也有變成念佛堂，或觀堂等，所謂眞實的禪堂和禪師們，已如鳳毛麟角，間或一見而已，令人遙想高風，實在有不勝仰止之嘆。民國以來，研究佛學的風氣，應運而興，所以禪門叢林，也多有佛學院的成立。禪宗一變再變，已經變成了禪學，或是振衰革弊，或是重創新規，唯有翹首佇候於將來的賢哲了。

(四)叢林清規的遺範

清規就是百丈禪師所創立，作後世叢林清淨儀軌的守則。後代的禪師們，雖亦有另作規則的，但都宗奉百丈清規爲主。明太祖朱元璋作的祖訓，清帝康熙作的聖喩廣訓，他們原始體裁的淵源，便是由於禪門清規和禪林寶訓所啓發。百丈清規原件，早已失傳，現在僅有的清規，祇有元代敕修的百丈清規，以及百丈清規證義、禪苑清規、入衆日用、入衆須知、幻住清規、叢林校定清規總要、禪林備用清規、日用清規，禪林兩序須知等書。日本另有大鑑清規、永平清規、瑩山清規等書。但都時居千餘年，已經不是百丈舊時原式。就是本文所記敍的，也祇簡略雜合近代的叢林規矩，已經加入不少的時代氣氛了。

茲且摘錄數則有關文字以作參考。

(子)百丈禪師傳：

宋高僧傳：「釋懷海，閩人也。少離朽宅，長遊頓門，禀自天然，不由激勸。聞大寂始化南康，操心依附。虛往實歸，果成宗匠。後檀信請居新吳界，有山峻極可千尺許，號百丈嶼。海既居之，禪客無遠不至，堂室隘矣。且曰：吾行大乘法，豈宜以諸部阿笈摩教為隨行邪！或曰：瑜伽論、瓔珞經是大乘戒律，胡不依隨乎？海曰：吾於大小乘中、博約折中、設規務歸於善焉，乃創意不循律制、別立禪居。初自達摩傳法至六祖以來，得道眼者號長老，同西域道高臘長者呼須菩提也。然多居律寺中，唯別院異耳。又令不論高下盡入僧堂，堂中設長連牀，施椸架，掛褡道具。臥必斜枕牀脣，謂之帶刀睡，為其坐禪既久，略偃息而已。朝參夕聚，飲食隨宜，示節儉也。行普請法，示上下均力也。長老居方丈，同維摩之一室也。不立佛殿，唯樹法堂，表法超言象也。其諸制度，與毗尼師一倍相翻。天下禪宗如風偃草。禪門獨行由海之始也。以元和九年甲午歲，正月十七日歸寂。享年九十五矣。生當元宗開元十六年，西曆二八年。穆宗長慶元年，敕諡大智禪師。」

(丑)百丈禪師入道因緣：

指月錄載：「洪州百丈山懷海禪師，福州長樂人，王氏子。兒時隨母入寺拜佛，指佛像問母曰：此為誰？母曰佛也。師曰：形容與人無異，我後亦當作佛。早歲離塵，三學該練。參馬大師為侍者。檀越每送齋飯來，師纔揭開盤蓋、馬大師便拈起一片胡餅示衆云：是什麼？每每如此。經三年，一日侍馬祖行次，見一群野鴨飛過。祖曰：是甚麼？師曰：野鴨子。祖曰：甚處去也？師曰：飛過去也。祖遂把師鼻扭，負痛失聲。祖曰：又道飛過去也？師於言下有省。卻歸侍者寮，哀哀大哭。同事問曰：汝憶父母耶？師曰：無。曰：被人罵耶？師曰：無。曰：哭作甚麼？師曰：我鼻孔被大師扭得痛不徹。同事曰：有甚因緣不契？師曰：汝問取和尚去。同事問大師，曰：海侍者有何因緣不契，在寮中哭，希和尚為某甲說？大師曰：是伊會也，汝自問取他。同事歸寮曰：和尚道，汝會也，教我自問汝。師乃呵呵大笑。同事復曰：適來哭，如今為甚卻笑？師曰：適來哭如今笑。同事罔然。次日，馬祖陞座，衆纔集，師出卷卻席。祖便下座。師隨至方丈，祖曰：我適來未曾說話，汝為甚便卷卻席？師曰：昨日被和尚扭得鼻頭痛。祖曰：汝昨日向甚處留心？師曰：鼻頭今日又不痛也。祖曰：汝深明昨日事，師作禮而退。師再參，侍立次，祖目視繩牀角拂子，師曰：卽此用，離此用。祖曰：汝向後開兩片皮，將何為人師？取拂子豎起。祖曰：離此用，卽此用。師挂拂子於舊處，祖振威一喝，師直得三日耳聾。未幾，住大雄山，以所處巖巒峻極，故號百丈。四方學者麕至。一日謂衆曰：佛法不是小事，老僧昔被馬大師一喝，直得三日耳聾。」

(寅)宋學士楊億百丈清規序：

百丈大智禪師以禪宗肇自少室，至曹溪以來，多居律寺，雖列別院，然於說法住持，未合規度，故常爾介懷。乃曰：佛祖之道，欲誕布化元，冀來際不泯者，豈當與諸部阿笈摩敎，為隨行耶！或曰：瑜伽論、瓔珞經。是大乘戒律，胡不依隨哉？師曰：吾所宗，非局大小乘，非異大小乘，當博約折中，設於制範，務其宜也。於是創意，別立禪居。凡具道眼者，有可尊之德，號曰長老，如西域道高臘長呼阿闍黎等之謂也。卽為教化主，處於方丈，同淨名之室，非私寢之室也。不立餘殿，先樹法堂者，表佛祖親囑受，當代為尊也。所裒學衆，無多少，無高下，盡入僧堂，依夏次安排。設長連床，施椸架，掛褡道具。臥必斜枕牀脣：右脅吉祥睡者，以其坐禪既久，略偃息而已，具四威儀也。除入室請益，任學者勤怠，或上或下，不拘常準。其合院大衆，朝參夕聚，長者上堂，陞座，主事徒衆，雁立側聆。賓主問酬，激揚宗要者，示依法而住也。齋粥隨宜，二時均遍者，務於節儉，表法食雙運也。行普請法，上下均力也。置十務寮舍，每用首領一人，管多人營事，令各司其局也。或有假號竊形，混於清衆，別致喧撓之事，卽當維那檢舉，抽下本位掛褡，擯令出院者，貴安清衆也。或彼有所犯，集衆公議行責，卽以拄杖杖之，遣逐從偏門而出者，示恥辱也。詳此一條，制有四益：一、不污清衆，生恭信故。二、不毀僧形，循佛制故。三、不擾公門，省獄訟故。四、不泄於外，護宗綱故。大衆同居，聖凡孰辨。且如來應世，尚有六群之黨，況今像末，豈得全無。但見一僧有過，便雷例譏誚，殊不知輕衆壞法，其損甚大。今禪門若稍無妨害者，宜依百丈叢林規式，量事區分。且立法防姦，不為賢士。然寧可有格無犯，不可有犯無教。惟大智禪師，護法之益，其大矣哉！禪門獨行，自此老始。清規大要，遍示後學，令不忘本也。其諸軌度，集詳備也。億叨睿旨，刪定傳燈，成書圖進，因為序引。翰林學士開國侯楊億述。」

(卯)百丈大智禪師叢林要則二十條：

叢林以無事為興盛。修行以念佛為穩當。

精進以持戒為第一。疾病以減食為湯藥。

煩惱以忍辱為菩提。是非以不辯為解脫。

留衆以老成為真情。執事以盡心為有功。

語言以減少為直截。長幼以慈和為進德。

學問以勤習為入門。因果以明白為無過。

老死以無常為警策。佛事以精嚴為切實。

待客以至誠為供養。山門以耆舊為莊嚴。

凡事以預立為不勞。處衆以謙恭為有禮。

遇險以不亂為定力。濟物以慈悲為根本。

(辰)寶王三昧論：

一、念身不求無病，身無病則貪欲易生。

二、處世不求無難，世無難則驕奢必起。

三、究心不求無障，心無障則所學躐等。

四、立行不求無魔，行無魔則誓願不堅。

五、謀事不求易成，事易成則志存輕慢。

六、交情不求益吾，交益吾則虧損道義。

七、於人不求順適，人順適則心必自矜。

八、施德不求望報，德望報則意有所圖。

九、見利不求沾分，利沾分則痴心亦動。

十、被抑不求急明，抑急明則怨恨滋生。

是故聖人設化，以病苦為良藥，以患難為逍遙，以遮障為解脫，以群魔為法侶，以留難為成就，以敝交為資糧，以逆人為園林，以布德為棄屣，以疏利為富貴，以屈抑為行門。

如是居礙反通，求通反礙。是以如來於障礙中，得菩提道。至若鴦崛摩羅之輩，提婆達多之徒，皆來作逆，而我佛悉與記別，化令成佛。豈非彼逆，乃吾之順也，彼壞乃我之成也。而今時，世俗學道之人，若不先居於礙，則障礙至時，不能排遣，

使法王大寶，由茲而失，可不惜哉！可不惜哉！（餘略）

叢林與宗法社會

「法久弊深」，這是吾國傳統的一句名言。尊爲方外清高的叢林，歷傳久遠，仍然跳不出這個法則。因爲叢林的制度，是天下一家的制度，其中絕對不能存私。但既要作之君、作之師、作之親的結果，往往親親之情，會超過君師之義，所以便生出個人自我的私見。佛戒我執，敎人要切實修到無我的境地。叢林戒爲私，而且認爲它是十方衆生所共有的，所以通稱爲之十方叢林，因此僧衆在叢林裏，就不能隨便收徒弟。即使勉强收了徒弟，這種師徒的關係，祇能算是個人的行爲，不能算作全寺的關係。如果住持和尚收了徒弟，也不能隨便承受和尚的位置，後任的和尚，仍須要在十方高僧中，遴選接位。這樣一來，從道理和法理來說，一點都不錯，可是人畢竟還是人，站在人的感情行爲上，慢慢的就有些行不通了。於是在十方叢林制度以外，漸漸的便有子孫叢林的建立，和庵堂小廟等的興起。所謂子孫叢林，便是師徒世代相承，等於普通人宗族的世代銜接是一樣的，祇是不同於普通的血統關係罷了。弟子既可繼承師位，同時也接管了全寺的財產，而且這一寺的財產，祇算屬於這一寺的，却不是十方衆生所共有共享的了。其他如禮請班首執事，容納掛褡食住，形式上與十方叢林都是一樣，祇是對寺內事物，加上一些私有權利的限制，不能完全公諸天下僧衆。在子孫叢林裡，假定一個和尙收了幾個徒弟，便以先進三門爲大，排列徒弟的次序。徒弟輾轉再收徒孫，便由這原始的一支分作房分，等於普通宗族的叔伯兄弟的關係。由此歷久弊深，有些不肖之徒，也就發生權位財產的爭執，甚之，行爲等同俗人一樣了。人類文明究竟是進步的呢？還是退化的呢？這是哲學上一個大問題，殊令人難下斷語。站在社會的觀點上看，任何宗教，也祇能算是一個不同的社會，社會便是人爲的，你能否認人不是一個普通的生物嗎？與其如此，對於一個社會形態的轉變，就沒有什麼詫異了。而且由於子孫叢林和庵堂小廟的建立，可以看出中國傳統文化的根基深厚，傳統的宗法觀念和組織，依然深植在每一個社會之中。

子孫叢林的最初建立，可能和百丈建立叢林制度，是先後同時的時代產品。因爲禪宗是重師承門派的，所以門庭設立，也是順理成章的當然結果。尤其到了晚唐五代之間，五家宗派分立，各家的徒孫法子觀念，便已牢植人心了。所以臨濟、曹洞、溈仰、雲門、法眼，就各有它子孫次序的派演代字，代代留傳下來，直到現在，還在應用。有時，他們是把這留傳的代字次序用完了，再來從頭算起，如此輪轉無窮，却不同宗法社會的族系，始終重於層層遞下的。明淸以後，國內叢林，大多是臨濟宗的子孫，其餘各宗，已經衰落到不絕如縷了。

此外，演變愈久，便有子孫小廟的興起，這就等於一個僧衆的小家族，除了沒有男女夫婦的關係，絕對宗奉佛教以外，其餘一切習慣，與俗人差別並不太多，也可以說，祇是一個獨身者的修行集團而已。等而下之，東鄰日本的家庭寺廟制度的興起，行見東方佛教，快要完全變質，對於叢林制度的嚮往，祇有引用孔子的一句話說：「禘自旣灌而往者，吾不欲觀之矣。」

叢林與中國文化

叢林的制度，顯然是中國文化的產品。如果認爲佛教傳來中國，便受到中國文化的融化，產生了佛教革新派的禪宗，這事已略如前論，不必重說。嚴格的說來，佛教經過中國文化的交流，却有兩件大事，足以影響佛法後來的命運，而且增强它慧命的光輝。

第一：在佛學學理方面的整理，有天台、華嚴兩宗嚴整批判的佛學。天台宗以五時八教，賢首宗以五教十宗等，概括它的體系，這便是有名的分科判教。

第二：在行爲儀式方面，就是叢林制度的建立。它融合了傳統文化的精神，包括儒家以禮樂爲主的制度，適合道家樂於自然的思想。而且早在千餘年前，便實行了中國化的眞正民主自由的規模。它的制度，顯然不相同於君主制度的宗教獨裁，祇是建立一個學術自由，民主生活的師道尊嚴的模範。

除了中國以外，接受南傳原始佛教文化的，如泰國、高棉、寮國、錫蘭和緬甸，傳續到了現在，雖然已非舊時面目，但多少總還存有一些原來方式。可是它所僅存的生命，不過是依賴政府與民間信仰的殘餘，與叢林制度比較起來，有識之士，便不待言而可知了。和這相反的，就如北傳佛教在我國西藏，它以神秘色彩，襯托出宗教的姿態，千餘年來，却贏得一個政教合一的特權區域，雖略有類同西洋教會和教皇的威權，而無西洋教會一樣，具有國際和世界性的組織。講政治，沒有博大悠久思想作基礎，講宗教，仍被封固在文化落後的地區。如果深切瞭解釋迦牟尼的全部教義，對於南傳佛教，和北傳佛教的兩種方式，便會知道不是他原來的初衷。祇有中國的叢林制度，確能與他的本意不相違背。由此可見無論南傳北傳的佛教，都沒有像東來中土的偉大成就，這是什麼原因呢？我們可以瞭解，凡是自己沒有悠久博大的文化之民族，縱然佛光普照，他的本身，仍然無力可以滋茂長大。所以說：當達摩大師在印度的時候，遙觀東土有大乘氣象，不辭艱苦，遠涉重洋，便放下衣鉢，把佛法心印傳留在中國了。

一個文化悠久的國家，歷史賸遺在山川名勝的背景，已經足以表示整個文化的光輝。何況它的精神，還是永遠常存宇宙，正在不斷的繼往開來呢！僅以叢林創建的制度來說，它給全國的山光水色，已經增加了不少詩情畫意，表現出中國文化的風格，唐代詩人杜牧有詩云：「南朝四百八十寺，多少樓臺烟雨中。」這還祇是描寫南北朝以來的江南佛教事蹟，到了唐朝以後，因爲叢林寺院的興盛，可以說：率土之濱，莫不有寺。名山之頂，何處無僧。所以後人便有「天下名山僧占多」之詠了。加上以唐人氣度的雄渾，宋人氣度的寬廓，二者融會在寺院建築之中，我們在全國各地，到處都可見到美侖美奐，壯麗雄偉的塔廟。祇要你翻開各省的省誌，各州、府、縣的地方誌，要查名勝古蹟，僧道寺院，便已佔去一半。緬懷先哲，追思兩三千年的留傳至今的事物，豈能不令人痛恨這些一知半解，妄自蔑視中國文化的人們！須知一個根深蒂固的文化，建設起來，是經過多少時間，和多少哲人的心血所完成。要想改變，以適應世界的趨勢而爭取生存，那也要學而有術，謀定而後動，豈是淺薄狂妄，輕舉妄動所能做得到的嗎？

叢林與幫會社會

叢林禪寺，雖然是僧衆集團專修的一個佛教社會，究竟它是具有宗教組織，和戒條的管理的。否則，在佛教慈悲平等的觀念下，如果發生人事情僞的糾紛，比之普通社會，恐怕還難處理。所以傳說中便有「寧帶一千個兵，不帶一百個僧，」就是這個意思。但是過去的住持和尚們，和其他被請任爲叢林的班首執事們，他們的德行才智，姑且不論，就各人的身世經歷來說，大多都還有一番涉世的經驗，因此古人稱此中是「龍蛇混襍，凡聖同居，」確實是最難分辨的。在中國歷史上，許多失意英雄，亡國志士，或是身世有難言之痛的，很多都在心灰意懶之餘，託跡禪門，參求正果，自以紅魚青磬，了此殘生的，事實並不太少。當唐宋以來禪門興盛的時候，一個叢林中所容納的僧衆，往往多以千計，所以在嚴格執行清規戒律以外，勢必陰以兵法部勒弟子，也是極其可能的事。唐、宋、明，開國之初，少林寺等僧人，幫助李世民，趙匡胤，朱元璋輩平定天下，功成不居，退歸林下，這也是歷史的事實。例如田雯遊少林寺記說：唐僧曇宗，住河南少林寺。精通武藝。武德四年，太宗時爲秦王，奉命討王世充。曇宗等十三人，參加戰陣。以威猛善戰，尅敵致勝。太宗奉曇宗爲大將軍，其餘不願爲官者，各賜紫羅袈裟一襲。少林寺便將石刻御劄嵌於壁間云云。又例如樵書二編卷九載，僧兵湖廣士兵論云：「明嘉靖癸丑，倭兵入犯蘇淞海濱，以兵民禦之，敗而走者三十七陣矣。操江蔡公克廉募僧兵殲滅之。自後我師與倭戰多凱旋。凱旋自天員一陣始也。」「倭犯杭城，三司會僧兵四十人禦之。其將為天真、天池二人。天池乃少林僧。於是交兵，大破倭奴。倭人走襲上海太倉。蔡公駐節於蘇，走金幣至杭，聘取僧兵。杭方戒嚴，莫肯與。鹿園（僧名）無以謝蔡公，使人請月空等十八人，原非禦寇四十人之列。三司遂聽之。鹿園與月空曰：爾之見都院也，宜述僧兵衆寡不敵之形，徼其禮幣而善辭之，脫有不允，可薦少林僧天員為將。見講楞嚴經於天池山中，乃將材也。月空見蔡公，辭不獲，遂薦天員。天員就聘出山，乃五月十日也。蔡公館之於瑞光寺，與月空同處。月空領杭僧兵十八名，天員領蘇僧四十八人，協力征勦。又選蛇山兵十人，與月空合為一枝。六月初十日遣哨兵六團，有賊百餘人。奮力追擊，賊懼而逸。復屢戰輒勝，凡翁家港所逃，及老營之賊，悉剿滅無遺。計僧所傷亡者四人耳。」尤其是朱元璋微時，曾在皇覺寺為僧，當然他瞭解叢林的制度，所以他的初期官制，還有如叢林班首稱呼的存在，例如都察院等的稱謂，便是叢林的情調。因為明代的官制，是因襲元代的舊制，再參酌唐宋的制度，加以改變而來。元代的官制，受喇嘛教和劉秉忠的影響，許多地方，都帶有僧團的意味，雖然有耶律楚材之才之美，仍然難以出其窠臼。

當南宋金元之間，道士丘處機師徒等，便仿照禪宗叢林制度，創立全眞道的保存民族文化。到了滿清入關以後，前明的亡國大夫，與一般有智識的人士，獨抱亡國之痛，凡義不降清，或者想圖謀恢復的，他們有鑒於士大夫的容易變節，便暗中聯絡江湖豪俠等輩，漸漸就形成爲民間幫會的組織，相傳如顧亭林、李二曲、黃黎洲，傅青主等人，就是在幕後倡導其事的中堅分子。當然此中參加的，一定有許多逃名避禍的明朝遺老，自藉和尙道士的身分活動的。所以這種幫會社會的組織，除以傳統文化的忠孝仁義爲骨幹，志在反淸復明，其他規矩儀式，都是仿照叢林制度的形式。例如淸初的哥老會（洪幫），以及以後分化爲靑幫、紅幫，等等，他的外表祇是一種社會活動，內在的目的，還是企圖爲民族國家，恢復大業。其他如在北方一帶，以三教合參的理門，以後稱爲理敎，它的組織，也是參照叢林制度的。等而下之，如明清兩代的各種道派，以及大刀會、紅槍會以及各種似道非道的道術門派，或多或少，總是因襲叢林的規矩來組織的，由此可見叢林制度，它在中國各階層的社會裡，確是有它歷史上的特殊影響。

結論

中國傳統文化，素來是以儒家爲主流。儒家高懸大同天下的目的，是以禮樂爲主道政治的中心。由於禮樂的至治，就可以實現禮運大同篇的天下爲公的目的。但是經過數千年的傳習，一直到了唐代，才祇有在佛教禪宗的叢林制度裡，實現了一個天下爲公的社會。它在形式上，固然是一種佛教僧衆的集團，然在精神上，它是融合禮樂的眞義和佛教戒律的典型。「禮失而求諸野」，如果講到一個眞善美的社會風規，恐怕祇有求之於叢林制度了。但是也還不能做爲治國平天下的規模，因爲國事天下事，與叢林社會相比，其艱難複雜，又何止百千萬倍。人是一個有情感和理性的生物，無論性和情，祇要偏重在那一面，就不能兩得其平，結果都不會安定人生的。叢林制度它能普及流傳，不外四個原因：

第一：因爲出家了的僧衆，已經發自內心的，抑棄了世事人欲的情感牽擾，雖然住在叢林裡，過的是集團生活，又是絕對自由追求自我理想的境界。

第二：宗教的信仰，和發自因果分明的觀念，已經不需要外加的法律管制。

第三：各人由內心的自淨其意，發爲規矩，便是最高自治的原理。

第四：維持生命生活的經濟制度，早已作到福利的要求，所以他們祇要管自己的身心修養，其餘的一切就都可以放下了。

因此他們可以做到，像儒家禮樂最高目的，和墨家摩頂放踵，以利天下的要求。如果是普通人的社會呢？男女飲食和物欲的權利，祇有日益向外擴充和發展。人事和世事的推排，相互間便有爭執。許多在學理和教育上決定是正確的道理，一到人情和人欲的要求上，便完全不是那樣一回事了。卽如完美的叢林制度，他在教導以外，再沒有刑責可行，假使沒有最高道德作爲依持，要想求其安然垂範達千餘年之久，決對是不可能的事。南宋時代，杭州徑山、大慧宗杲禪師，與溫州龍翔竹菴大珪禪師，恐怕後來叢林衰落，便合力記述歷來叢林住持的嘉言善行，留作後世的準繩，作了一部禪林寶訓的書。其中高風亮節，以及敦品勵行的典型，足以與宋儒學案，比美千秋。如果去掉它僧服的外層，做爲爲人處世的修養範本來看，一定別有無窮受用，可以啓發無限天機。

百丈禪師創建叢林以來，他的初衷本意，祇是爲了便利出家僧衆，不爲生活所障礙，能夠無牽無掛，好好的老實修行，安心求道。他並不想建立一個什麼社會，而且更沒有宗教組織的野心存在，所謂「君子愛人以德」則有之，如果認爲他是予志自雄，絕對無此用心。尤其是他沒有用世之心，所以他的一切措施，自然而然的，便合於儒佛兩家慈悲仁義的宗旨了。如果他有世務上的希求，那便會如佛經所說：「因地不真，果遭紆曲。」豈能成爲千古宗師。在他當時，一般人之所以責罵他是破戒比丘，祇因大家抵死執著印度原始佛教的戒律，認爲出家爲僧，便不應該耕種謀生的。站在我們千秋後世的立場來看，如果他當時不毅然改制，還讓僧衆們保持印度原來的乞食制度，佛教豈能保存其規模，傳流到達現在嗎？禪宗最重人們確有見地，佛教稱佛爲大雄。時移世變，時代的潮流，由農業社會的生活方式，已經進到工商業科學化的今天，追懷先哲，眞有不知我與誰歸之歎了。

南懷瑾先生著作簡介

1.論語別裁（原文加注音） 南懷瑾述著 精裝本上下册 聖經本全一册

是中華民國開國以來，闡揚中國固有文化精髓，推古陳新，使現代中國人能夠了解傳統文化的橋樑。它，接續了古今文化隔閡的代溝。

2.孟子旁通(一) 南懷瑾著 精裝

是繼「論語別裁」後，劃時代的鉅著，爲中華文化留下再生的種子，內容包羅諸子百家思想精華，觸類旁通，驗證五千年來歷史人事，司馬遷謂：「通古今之變，成一家之言。」恰足以讚之。（初集梁惠王篇先出版，以後陸續出書。）

淨名盦詩詞拾零

3.佛門楹聯廿一幅 合篇 平裝

金粟軒詩話八講

本書揭開古今詩訣奧秘，法語空靈，禪機雷射，所輯及所作詩詞、楹聯，皆爲千古流傳難得一見之詩林奇觀。

4. 新舊的一代　南懷瑾著　平裝

原名：廿世紀青少年的思想與心理問題。解析了近百年來學術思想的演變，近六十年來的教育問題和現代社會青少年思想問題的根源。

5. 定慧初修　袁煥仙　南懷瑾著　平裝

本書收集袁煥仙先生及其門人南懷瑾先生，有關止觀修定修慧的講記，對習禪及修淨土者，提示了正知正見和眞正修行的方法，最適合初學者。

6. 靜坐修道與長生不老　南懷瑾著　平裝（英文版）

融合儒、釋、道三家靜坐原理，配合中、西醫學，對於數百年來，各方修道者的修持經驗，予於深入淺出的介紹和解答，揭開幾千年來修持的奧秘。

7. 參禪日記（初集，原名：外婆禪）　金滿慈著　南懷瑾批　平裝

本書是一位退居異國的老人，參禪修道來安排他晚年生活的實錄，許多修行的功夫和境界，都是女性修道者，最好的借鏡與指導。

仙丹派之思想來源和內容，可稱照明學術界的方外書。

13. 楞嚴大義今釋　南懷瑾著　精裝

「自從一讀楞嚴後，不看人間糟粕書」——它是宇宙人生眞理探原的奇書，是入門悟空的一部書，也是抱本修行，閉關修行一直到證果跟在身邊的一部書。

14. 楞伽大義今釋　南懷瑾著　精裝

「楞伽印心」，禪宗五祖以前，用它來驗證學人是否開悟，書中有一百零八個人生思想哲學問題，是唯識學寶典。解析唯心、唯物矛盾的佛典。

15. 禪海蠡測　南懷瑾著　精裝

本書爲南懷瑾先生傳世經典之作，有關禪宗宗旨、公案、機鋒、證悟宗師授受、神通妙用，及其與丹道、密宗、淨土之關係，鈎玄剔要，爲無上菩提大道，舖了一條上天梯。

16. 維摩精舍叢書　袁煥仙著　南懷瑾等編纂　精裝

散盡億萬家財，行脚遍天下，求法忘軀，大澈大悟，川北禪宗大德塩亭老人煥仙先生，此篇鉅著，分判諸宗門派獨步千古，凡究心三家內典者，不可不讀，南懷瑾先生即其傳法高第也。

17.歷史的經驗(一)　南懷瑾著　平裝

本書爲南教授外學講記，以經史合參方式，長短經、戰國策爲主，講君臣對待，有無相生、利弊相參的道理，是治世的良典，是領導的藝術，也是撥亂反正難得的寶笈。

18.道家、密宗與西方神秘學　南懷瑾著　平裝

本書揭開千古修行、成仙、成佛之奧秘，有關道家易經、中醫、與神仙丹道，以及西藏密宗原理和重要密法法本之提示，皆有深入淺出的介紹和批判。

19.觀音菩薩與觀音法門　南懷瑾等著　平裝

家家彌陀佛，戶戶觀世音，本書收集南懷瑾先生，歷年對觀音法門之講記，及古今大德、顯密二宗對觀音菩薩的看法及觀音修持法門，是學佛的初基，也是求證佛法最直接切入的方便法門。

20.金剛經別講　南懷瑾講述　平裝

金剛決疑，金剛印心，「金剛經別講」以現代化、生活化的方式，活活潑潑地，讓現代人不論是初學佛或老參同修，都能隨其深淺，各得勝解。書後附有南老師的「中國文化與佛學八講」，是最基礎的佛學概論，是最佳結緣入門的階梯，也是簡要直捷的佛法大意鳥瞰。

21. 序集　南懷瑾著　平裝

本書集中南老師歷年來所寫有關諸書序言，編爲一册，內容精蘊，包含廣泛，於人生學問、修證各方面之見地，高邁今古，迥脫凡塵，揮發儒、釋、道三家思想精華，可藉爲初學入門引導之指南，亦可作爲資深研究者更上之驗證。亦可由此略窺南先生思想精神之大概。

22. 歷史的經驗(二)　南懷瑾講述　平裝

張良助劉邦擊敗項羽，統一天下，兵機謀略，大多得自黃石公素書之啓發，素書凡一千三百三十六言，上有秘戒，不許傳于不道、不神、不聖、不賢之人，若傳非其人，必受其殃。得人不傳，亦受其殃。張良之後，此書不知去向，至晉朝，有人盜發張良之墓，於玉枕之處發現此書，自此素書始再傳於世間云云。書後附陰符經及太公三略，皆兵法之宗祖。南先生此篇講記，將三千年來歷史例證，平舖原經文之後，以便讀者可以經史合參，而對於千古是非成敗之際之因因果果，判然明白，或者以之做爲個人創業，及立身處世之參考。

23. 一個學佛者的基本信念——華嚴經普賢行願品講記　南懷瑾著　平裝

本書將華嚴經普賢行願品的內義闡述無遺，尤其將普賢行願的修持法門直述公開，顯密融通，是歷來講解此經所未曾有者。書後幷附普賢菩薩有關經文及諸佛菩薩行願。